科《か》学《がく》探《たん》偵《てい》 謎《なぞ》野《の》真《しん》実《じつ》シリーズ

科学探偵 VS.

超能力少年

もくじ

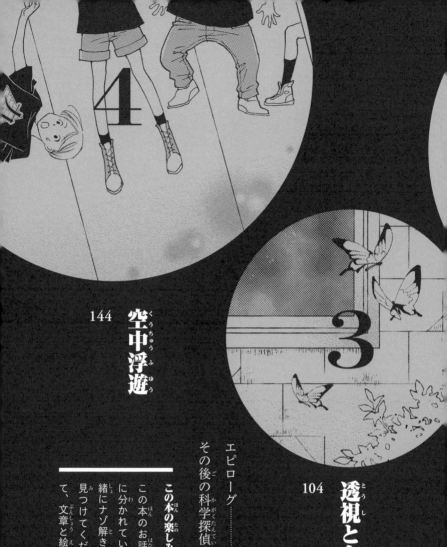

この本《ほん》の楽《たの》しみ方《かた》

この本《ほん》のお話《はなし》は、事件編《じけんへん》と解決編《かいけつへん》に分《わ》かれています。登場人物《とうじょうじんぶつ》と一緒《いっしょ》にナゾ解《と》きをして、事件《じけん》の真相《しんそう》を見《み》つけてください。ヒントはすべて、文章《ぶんしょう》と絵《え》の中《なか》にあります。

登《とう》場《じょう》人《じん》物《ぶつ》

謎《なぞ》野《の》真《しん》実《じつ》

エリート探偵育成学校《たんていいくせいがっこう》・ホームズ学園出身《がくえんしゅっしん》で、
天才的《てんさいてき》な頭脳《ずのう》と幅広《はばひろ》い科学知識《かがくちしき》を持《も》つ。
「科学《かがく》で解《と》けないナゾはない」が信条《しんじょう》。

宮下健太《みやしたけんた》

成績《せいせき》もスポーツも中《ちゅう》ぐらいの
〝ミスター平均点《へいきんてん》〟。
不思議《ふしぎ》なことが大好《だいす》き。

蝶《ちょう》野《の》力《ちから》

「誰《だれ》でも無限《むげん》の力《ちから》を持《も》っている」と唱《とな》える、超能力少年《ちょうのうりょくしょうねん》。「フレンド」と呼《よ》ばれる熱狂的《ねっきょうてき》なファンがいる。

はたして彼《かれ》の超能力《ちょうのうりょく》は本物《ほんもの》か？

青《あお》井《い》美《み》希《き》

新聞部部長《しんぶんぶぶちょう》で、ジャーナリスト志望《しぼう》。
健太《けんた》とは幼《おさな》なじみ。

浜《はま》田《だ》先《せん》生《せい》

真実《しんじつ》たちが通《かよ》う小学校《しょうがっこう》の先生《せんせい》。
あだ名《な》は「ハマセン」。

軽井《かるい》

真実《しんじつ》が出演《しゅつえん》するテレビ番組《ばんぐみ》のプロデューサー。
どこまでも軽《かる》い。

月曜日《げつようび》の朝《あさ》。6年《ねん》2組《くみ》の教室《きょうしつ》に、謎野真実《なぞのしんじつ》がやってきた。

「おはよう、健太《けんた》く……」

真実《しんじつ》はクラスメートの宮下健太《みやしたけんた》に声《こえ》をかけようとして、首《くび》をかしげた。

健太《けんた》が、なぜかスプーンを持《も》って何《なに》かをブツブツとつぶやいていたからだ。

「人《ひと》は誰《だれ》でも無限《むげん》のすばらしい力《ちから》を持《も》っている……。限界《げんかい》って、誰《だれ》が決《き》めたんだい？　さあ、力《ちから》を解《と》き放《はな》とう……」

真実《しんじつ》があらためて、まわりを見《み》ると、クラスのみんなも、健太《けんた》と同《おな》じようにスプーンを持《も》ってブツブツ言《い》っている。

「健太《けんた》くん、何《なに》をしてるんだい？」

「おはよう、真実《しんじつ》くん。何《なに》って、スプーン曲《ま》げに決《き》まってるでしょ！」

「スプーン曲《ま》げ？」

健太《けんた》は、「そう！」と答《こた》えると、スプーンをじっと見《み》つめた。

「無限《むげん》の力《ちから》を、解《と》き放《はな》て！」

健太《けんた》はスプーンの柄《え》を親指《おやゆび》でこする。

「無限《むげん》の力《ちから》を、解《と》き放《はな》て！」

クラスのみんなも、同《おな》じ言葉《ことば》を言《い》いながら、スプーンの柄《え》をこすっていた。

そのとき、教室《きょうしつ》にハマセンこと、学年主《がくねんしゅ》任《にん》の浜田先生《はまだせんせい》が入《はい》ってきた。

「おいおい、みんな何《なに》やってんだ⁉」

ハマセンは、健太《けんた》の持《も》っていたスプーンを取《と》り上《あ》げた。

「ああ！　先生《せんせい》！　スプーンを返《かえ》してください！」

「スプーンは曲《ま》げるものじゃないぞ！　食《た》べ物《もの》を食《た》べるためのものだ！」

ハマセンは「ほらっ、やめろ」と言《い》いな

がら、クラス中《じゅう》のスプーンを取《と》り上《あ》げていった。

「もう〜、あとちょっとでスプーンを曲《ま》げられそうだったのに〜」

「健太《けんた》くん、どうして急《きゅう》にそんなことをしようと思《おも》ったんだい？」

「あれ？　もしかして真実《しんじつ》くん知《し》らないの？　『ちょー能力《のうりょく》チャンネル』のこと！」

健太《けんた》の話《はなし》によると、最近《さいきん》、動画《どうが》サイト「I《アイ》Tube《チューブ》」で、ある中学生《ちゅうがくせい》の男《おとこ》の子《こ》の動画《どうが》が話題《わだい》になっているのだという。

力
CHIKARA
ちょー能力チャン
チャンネル登録者数 2,4
ホーム
動画
再生
無限の力を解き放て！

蝶野力《ちょうのちから》――。彼《かれ》は、「超能力少年《ちょうのうりょくしょうねん》チカラ」と名乗《なの》り、動画《どうが》の中《なか》で数々《かずかず》の超能力《ちょうのうりょく》を披露《ひろう》しているらしい。

「スプーン曲《ま》げも、そのひとつなんだ。人《ひと》は誰《だれ》でも、気《き》づいていないだけで無限《むげん》のすばらしい力《ちから》を持《も》っている。その力《ちから》を解《と》き放《はな》つことができれば、スプーンを曲《ま》げることもできるらしいよ」

どうやら、健太《けんた》たちはチカラに影響《えいきょう》されて、スプーン曲《ま》げをしていたようだ。

「力《ちから》を解《と》き放《はな》つ、ねえ」

真実《しんじつ》は口元《くちもと》に手《て》を当《あ》てた。

「あ~あ、ぼくもチカラさんの『フレンド』になりたいなあ」

「フレンド？」

「うん。チカラさん、オンラインサロンも開《ひら》いていて、ファンミーティングをよくやってるんだよ！」

チカラは、オンラインサロンの会員《かいいん》たちのことを「フレンド」と呼《よ》び、

オンラインサロン
有名人《ゆうめいじん》が主宰者《しゅさいしゃ》となって運営《うんえい》する、ネット上《じょう》の有料会員制《ゆうりょうかいいんせい》グループ。主宰者《しゅさいしゃ》のファンクラブのようなものが多《おお》い。主宰者《しゅさいしゃ》とネット上《じょう》でじかに情報交換《じょうほうこうかん》できたり、イベントを開《ひら》くなど、一緒《いっしょ》にプロジェクトを動《うご》かしたりすることもある。

毎週《まいしゅう》のようにイベントをおこなっているらしい。

「チカラさんと直接《ちょくせつ》会《あ》えるし、なんていったってすばらしい力《ちから》を引《ひ》き出《だ》す方法《ほうほう》を教《おし》えてもらえるんだ。ぼく、フレンドになってミーティングに参加《さんか》したいんだけど、オンラインサロンは有料《ゆうりょう》で、ぼくのおこづかいじゃ足《た》りないんだよねえ」

健太《けんた》は残念《ざんねん》そうに言《い》った。

すると、クラスのみんなからスプーンを取《と》り上《あ》げ終《お》えたハマセンが、健太《けんた》たちのそばに戻《もど》ってきて、大《おお》きな溜《た》め息《いき》をもらした。

「まったく、先生《せんせい》の子《こ》どものころもこういうのがはやったけど、やってみても一度《いちど》も曲《ま》がらなかったぞ。だいたいこんな硬《かた》いスプーンが曲《ま》がるわけないだろ〜」

すると、それを聞《き》いたクラスのみんながハマセンを見《み》て言《い》った。

「先生《せんせい》は力《ちから》を解《と》き放《はな》つことができなかっただけです！　自分《じぶん》の可能性《かのうせい》を信《しん》じることができなかったんです！」

「そうだ！　そうだ！」

みんなが、何《なに》かにとりつかれたようにハマセンに迫《せま》る。これもチカラの影響《えいきょう》なのだろうか？

「な……なんだ？　みんなして。おい、近《ちか》づくな！　おい！　謎野《なぞの》！　おまえからも何《なに》か言《い》ってくれ！」

ハマセンはうろたえながら、真実《しんじつ》にしがみついた。

「まったく……」

真実《しんじつ》はしがみついていたハマセンをひきはがすと、みんなのほうを見《み》た。

「確《たし》かに、自分《じぶん》の可能性《かのうせい》を信《しん》じるのはいいことだ。だけど、それとこのスプーン曲《ま》げとは話《はなし》が別《べつ》だよ」

そう言《い》うと、真実《しんじつ》はハマセンが持《も》っていたスプーンのひとつを手《て》に取《と》った。

そして、スプーンの柄《え》を指《ゆび》の先《さき》にのせ、つりあう場所《ばしょ》を探《さが》すと、スプーンがつりあった場《ば》所《しょ》の少《すこ》し下側《したがわ》を親指《おやゆび》で押《お》さえ、残《のこ》りの指《ゆび》で柄《え》をにぎり、もう一方《いっぽう》の手《て》の人差《ひとさ》し指《ゆび》をスプーンの先端《せんたん》に当《あ》てた。

「**いくよ**」

次《つぎ》の瞬間《しゅんかん》、真実《しんじつ》は、わずかにスプーンの先《さき》に当《あ》てた人差《ひとさ》し指《ゆび》に力《ちから》を入《い》れた。

グニャリ

スプーンはまるで粘土細工《ねんどざいく》のように簡単《かんたん》に曲《ま》がった。

「すごい！」

みんながいっせいに声《こえ》をあげる。

「真実《しんじつ》くん、もしかして超能力者《ちょうのうりょくしゃ》だったの!?」

健太《けんた》が目《め》を輝《かがや》かせながら尋《たず》ねた。

しかし、真実《しんじつ》は首《くび》を横《よこ》に振《ふ》った。

「これは『てこの原理《げんり》』を応用《おうよう》したんだよ」

真実《しんじつ》は曲《ま》がったスプーンを健太《けんた》に見《み》せた。

「親指《おやゆび》で押《お》さえているこの柄《え》の部分《ぶぶん》が『支点《してん》』なんだ。人差《ひとさ》し指《ゆび》で押《お》さえていたスプーンの先《さき》は『力点《りきてん》』、そして、この曲《ま》がった部分《ぶぶん》が『作用点《さようてん》』だよ」

「おお、それならオレも知《し》ってるぞ！」

ハマセンが口《くち》をはさんだ。

「支点《してん》で支《ささ》えて、力点《りきてん》に小《ち》さな力《ちから》を加《くわ》えると、作用点《さようてん》に大《おお》きな力《ちから》がかかるんだったな」

「そのとおりです。てこの原理《げんり》を応用《おうよう》すれば、小《ちい》さな力《ちから》を大《おお》きな力《ちから》に変《か》えることができる。だから、スプーンを簡単《かんたん》に曲《ま》げることがで

てこの原理《げんり》の応用例《おうようれい》

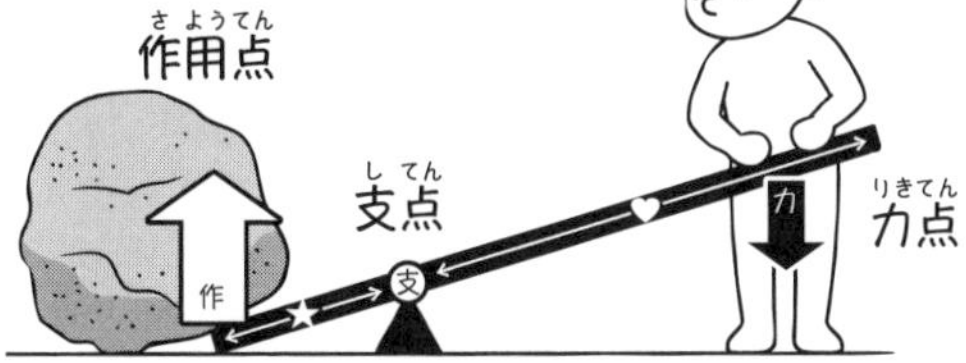
作用点《さようてん》
支点《してん》
力点《りきてん》
作
支
力

この図《ず》のように長《なが》い棒《ぼう》を使《つか》って、大《おお》きな岩《いわ》を持《も》ち上《あ》げることもできる。☆の幅《はば》の長《なが》さを、♡より短《みじか》くするのがポイントだ。

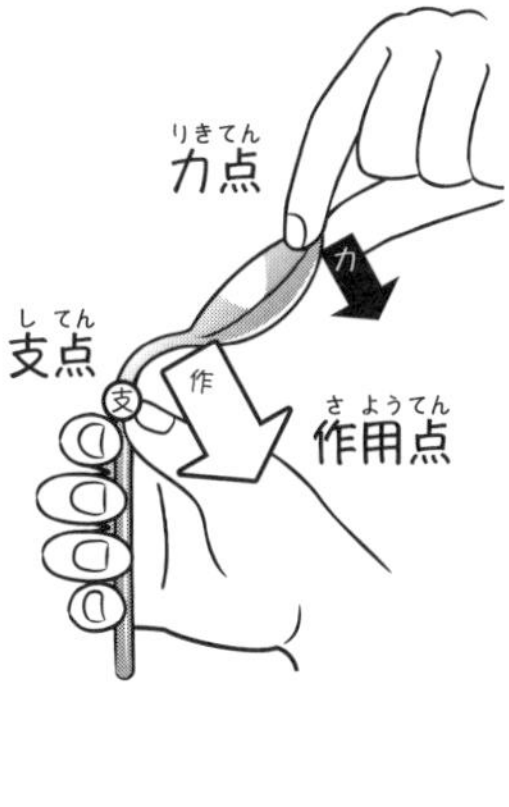
力点《りきてん》
支点《してん》
作用点《さようてん》
力
支
作

真実《しんじつ》がしたように、スプーンの柄《え》を指先《ゆびさき》にのせて、重《おも》さがつりあう場所《ばしょ》（重心《じゅうしん》）を探《さが》し、その数《すう》センチメートル下《した》を支点《してん》にすると、スプーンが曲《ま》がりやすい。

きたんです」

「ええっと、それはつまり……」

「健太《けんた》くん。つまり、その超能力少年《ちょうのうりょくしょうねん》チカラが動画《どうが》でやっていたというスプーン曲《ま》げは、科学《かがく》トリックを使《つか》ってもできる、ということだよ」

「そんな……、トリックがあったなんて」

健太《けんた》はスプーン曲《ま》げの真相《しんそう》を知《し》り、ショックを受《う》けているようだ。

「だけど、チカラさんはもっとすごい現象《げんしょう》も動画《どうが》で見《み》せてるんだよ。あれもトリックがあるのかな？」

健太《けんた》の言葉《ことば》に、真実《しんじつ》の表情《ひょうじょう》が少《すこ》し変《か》わった。

「**もっとすごい？**」

そのとき、となりのクラスで新聞部部長《しんぶんぶぶちょう》の青井美希《あおいみき》が飛《と》び込《こ》むように教室《きょうしつ》に入《はい》ってきた。

「**真実《しんじつ》くん、ビッグニュースよ！**」

「美希《みき》さん、どうしたんだい？」

「これを見《み》て！　わたし、びっくりしちゃった！」

美希《みき》は、新聞部《しんぶんぶ》で使《つか》っているタブレット型《がた》のパソコンの画面《がめん》を真実《しんじつ》に見《み》せた。

「謎野真実様《なぞのしんじつさま》　番組出演《ばんぐみしゅつえん》のご依頼《いらい》」

それは、テレビ番組《ばんぐみ》の出演《しゅつえん》オファーのメールだった。

「前《まえ》にわたし、真実《しんじつ》くんのホームページをつくったでしょ。朝見《あさみ》たら、そこにこのメッセージが届《とど》いてたの」

「真実《しんじつ》くん、すごいよ、テレビ出演《しゅつえん》だなんて！」

「ぼくはテレビに出《で》る気《き》はないけど」

「あら、だけどすごくおもしろそうな番組《ばんぐみ》よ。生放送《なまほうそう》のスペシャル番組《ばんぐみ》で、『超能力《ちょうのうりょく》は実在《じつざい》するのか？　超能力少年《ちょうのうりょくしょうねん》と科学探偵《かがくたんてい》が番組《ばんぐみ》で対決《たいけつ》！』って内容《ないよう》らしいわよ」

「超能力少年《ちょうのうりょくしょうねん》？」

健太《けんた》は、番組《ばんぐみ》から届《とど》いたメッセージを見《み》た。

出演者《しゅつえんしゃ》の欄《らん》に、「蝶野力《ちょうのちから》」と書《か》かれてある。

「チカラさんだ！　真実《しんじつ》くんとチカラさんがテレビで対決《たいけつ》するってこと？」

「えええっ!?」

興奮《こうふん》する健太《けんた》の声《こえ》に、クラスのみんなも盛《も》り上《あ》がる。

「超能力少年《ちょうのうりょくしょうねん》チカラ、か……」

真実《しんじつ》は、健太《けんた》のほうに顔《かお》を向《む》けた。

「彼《かれ》は、もっとすごい現象《げんしょう》を見《み》せていると言《い》ってたよね?」

「うん、そうだよ」

「そうか。それは少《すこ》し見《み》てみたい気《き》がするね……」

どうやら真実《しんじつ》は、チカラの超能力《ちょうのうりょく》の真相《しんそう》を解《と》き明《あ》かしたいようだ。

「ってことは、出演決定《しゅつえんけってい》ね!」

美希《みき》の言葉《ことば》に、真実《しんじつ》は大《おお》きくうなずいた。

超能力《ちょうのうりょく》少年《しょうねん》1

念力《ねんりき》と千里眼《せんりがん》

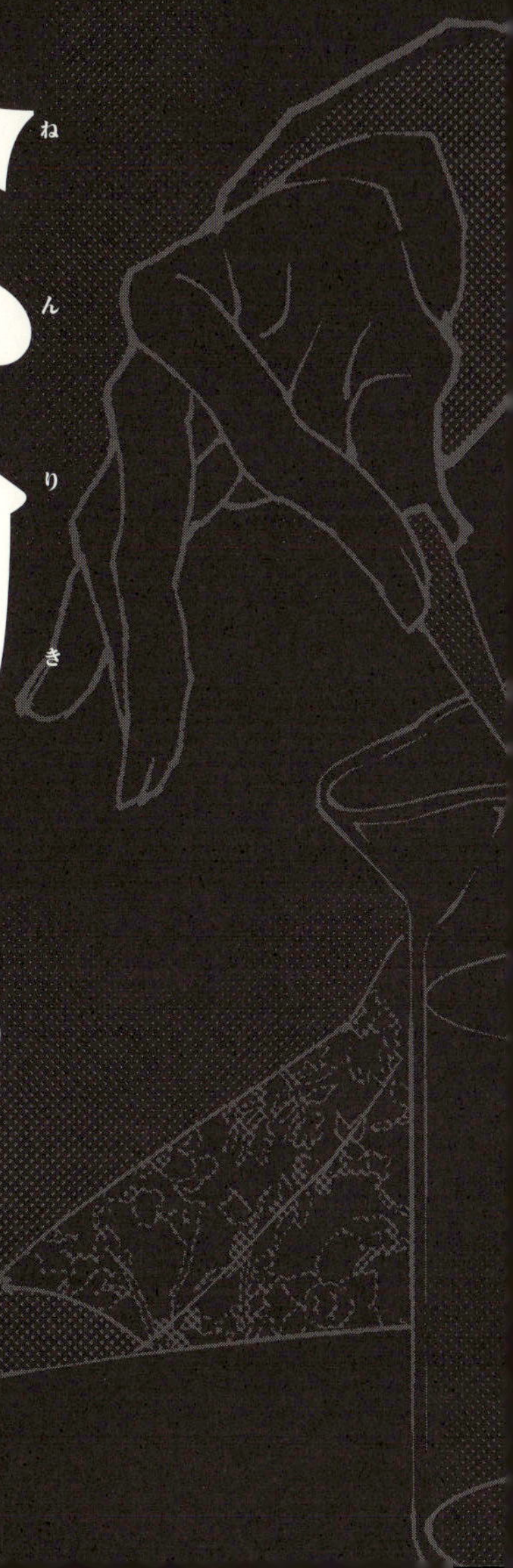

1台《だい》のタクシーが、テレビ局前《きょくまえ》のロータリーに来《き》て、止《と》まった。

「この入《い》り口《ぐち》！　バラエティー番組《ばんぐみ》のロケで映《うつ》ってるのを見《み》たことあるぞ！」

助手席《じょしゅせき》から、ハマセンが顔《かお》を輝《かがや》かせ、飛《と》び出《で》るように降《お》りてきた。

ハマセンは、初《はじ》めてのテレビ局《きょく》に、かなりテンションが上《あ》がっているようだ。

「あの……先生《せんせい》、今日《きょう》は生徒《せいと》の引率《いんそつ》だということ、忘《わす》れてません？」

続《つづ》いて降《お》りた美希《みき》が、眼鏡《めがね》の端《はし》を手《て》でクイッと持《も》ち上《あ》げて、ジロリと見《み》た。

今日《きょう》のために、真実《しんじつ》の敏腕《びんわん》マネージャーに見《み》えるよう、吊《つ》りあがったフレームの眼鏡《めがね》を用《よう》意《い》したのだ。

「すまんすまん！　小《ちい》さいころから、大《だい》のテレビ好《ず》きでな」

先日《せんじつ》、ハマセンのところにもテレビ局《きょく》のプロデューサーから連絡《れんらく》があり、真実《しんじつ》の番組《ばんぐみ》出《しゅつ》演許可《えんきょか》のお願《ねが》いと、出演《しゅつえん》の際《さい》には引率者《いんそつしゃ》として一緒《いっしょ》に来《き》てくれないかという依頼《いらい》があった。

冷静《れいせい》に対応《たいおう》しようとしたハマセンだが、プロデューサーから人気女優《にんきじょゆう》の如月《きさらぎ》サツキのサインをチラつかされて舞《ま》い上《あ》がり、即答《そくとう》でOK《オーケイ》してしまったのだ。

健太《けんた》、そして真実《しんじつ》もタクシーから降《お》りてきた。

「へえ、先生《せんせい》、そんなにテレビが好《す》きだったんですね」

「そうだ、先生《せんせい》が子《こ》どものころはまだインターネットなんてなくて、テレビがいちばんの楽《たの》しみで情報源《じょうほうげん》だったからな。テレビ局《きょく》に来《こ》られるなんて、夢《ゆめ》のようだよ！」

「健太《けんた》くんたちが、ＩＴｕｂｅ《アイチューブ》に夢中《むちゅう》になっているみたいに、当時《とうじ》の子《こ》どもたちにとって、テレビは最大《さいだい》の娯楽《ごらく》だったんだろうね」

真実《しんじつ》はテレビ番組《ばんぐみ》に出《で》るというのに、とても落《お》ち着《つ》いていた。

タクシーを降《お》りた真実《しんじつ》たちのもとへ、こんがりと日焼《ひや》けしたプロデューサーの軽井平太《かるいへいた》がやってきた。

軽井《かるい》は50代《だい》ぐらいだが、若《わか》づくりで、黒《くろ》いジャケットに真《ま》っ白《しろ》なスリムパンツをはいている。

「いやいやぁ～、お待《ま》ちしてましたよッ！　浜田先生《はまだせんせい》、ご苦労《くろう》さまです。謎野真実《なぞのしんじつ》さんをテレビ局《きょく》にお迎《むか》えできるなんて、我々《われわれ》、たいへん光栄《こうえい》です!!　今宵《こよい》は、超人《ちょうじん》と天才《てんさい》の世紀《せいき》の対決《たいけつ》!!　日本《にほん》の、いや世界《せかい》の歴史《れきし》が変《か》わる瞬間《しゅんかん》ですよ！　ハハハ！」

軽井《かるい》は笑顔《えがお》で調子《ちょうし》よく、一気《いっき》にまくしたてた。
（めちゃくちゃテンション高《たか》いし……やけに調子《ちょうし》いいなあ、この人《ひと》）
健太《けんた》は、ぼんやりと軽井《かるい》を見《み》ながら、そんな印象《いんしょう》を持《も》った。

「ありがとうございます！　オレ、如月《きさらぎ》サツキさんの大大大《だいだいだい》ファンなんです」
テレビ局《きょく》の廊下《ろうか》で、約《やく》束《そく》どおり、休憩中《きゅうけいちゅう》だった女優《じょゆう》・如月《きさらぎ》サツキからサインをもらえたハマセンは大興奮《だいこうふん》で、軽井《かるい》にお礼《れい》を述《の》

べた。

「よかったです。先生《せんせい》に喜《よろこ》んでもらえて。いやぁ、如月《きさらぎ》さんが出《で》てる『監察医《かんさつい》メギツネ』のプロデューサーが、真実《しんじつ》さんにぜひドラマに出演《しゅつえん》してもらえないかと言《い》ってきて、うるさいんですよ～」

「えええええ――!!　謎野《なぞの》を、あのドラマに!?」

「あ、ええ……確《たし》か少年監察医《しょうねんかんさつい》という設定《せってい》で登場《とうじょう》させたいとかなんとかって」

「いや、ぼくは演技《えんぎ》には興味《きょうみ》がな……」

「ありがとうございます！　ぜひ前向《まえむ》きに検討《けんとう》させていただきます！」

ハマセンは、断《ことわ》ろうとした真実《しんじつ》をさえぎって断言《だんげん》した。

「先生《せんせい》、勝手《かって》に決《き》めないで。わたしがマネージャー!!　ドラマの件《けん》は、後日《ごじつ》もろもろの条件《じょうけん》をお聞《き》きしてから、あらためて検討《けんとう》させていただきます。まずは台本《だいほん》を送《おく》ってください」

美希《みき》はそう言《い》うと、慣《な》れた手《て》つきで、シュパッ！と名刺《めいし》を軽井《かるい》に差《さ》し出《だ》した。

この日《ひ》のために、パソコンで名刺《めいし》をつくり、父《ちち》から名刺入《めいしい》れまで借《か》りてきたのだ。

「謎野《なぞの》真実《しんじつ》のマネジメントを担当《たんとう》しております、青井美希《あおいみき》と申《もう》します」

健太《けんた》は、すっかり敏腕《びんわん》マネージャー気取《きど》りの美希《みき》を、驚《おどろ》いて見《み》ていた。

(すごい美希《みき》ちゃん、すごいよ……サマになってる!)

「ちなみに、コレは真実《しんじつ》のアシスタントです」

美希《みき》は、そんな健太《けんた》を指《ゆび》さしてそう紹介《しょうかい》した。

「え、なんでぼくが……しかも、『コレ』って!」

「ほら、早《はや》く控室《ひかえしつ》調《しら》べて、椅子《いす》とお茶《ちゃ》用意《ようい》しといて!」

「あ、はいっ」

健太《けんた》は、納得《なっとく》のいかぬまま、美希《みき》の強《つよ》い口調《くちょう》についつい従《したが》ってしまうのだった。


「それでは本番《ほんばん》10秒前《びょうまえ》!　……5、4、3……」


スタッフが叫《さけ》ぶ。

スタジオのドアの上部《じょうぶ》にあった「ＯＮ《オン》ＡＩＲ《エア》」のランプが、パッと点灯《てんとう》する。

ついに番組《ばんぐみ》が始《はじ》まった。

スタジオには円形《えんけい》のステージがあり、それを囲《かこ》むように観覧席《かんらんせき》が設置《せっち》されている。観客《かんきゃく》のほとんどは、おそろいの黒《くろ》いT《ティー》シャツを着《き》た子《こ》どもたちで、ワクワクしたようすでスタジオを見《み》つめていた。T《ティー》シャツには、ピラミッドの模様《もよう》に、大《おお》きく「力」という文字《もじ》がデザインされている。

「あのT《ティー》シャツのグループは？」

美希《みき》は健太《けんた》に尋《たず》ねた。

「チカラさんのオンラインサロンの会員《かいいん》たちだよ。『フレンド』になったら、あのT《ティー》シャツがもらえるんだって」

「へえ、なんだか趣味《しゅみ》の悪《わる》いT《ティー》シャツ」

美希《みき》は小声《こごえ》で毒《どく》づいた。

健太《けんた》、美希《みき》、ハマセンは、チカラの「フレンド」たちに交《ま》じって、緊張《きんちょう》してステージを見《み》守《まも》っていた。

「みなさん、いよいよ、この日《ひ》がやってまいりました。

「ただいまより、世紀《せいき》の対決《たいけつ》が始《はじ》まります！」

タキシード姿《すがた》の司会者《しかいしゃ》がマイクを握《にぎ》りしめ、高《たか》らかに宣言《せんげん》した。朝《あさ》の情報番組《じょうほうばんぐみ》を担当《たんとう》する、いま人気《にんき》の男性《だんせい》アナウンサーだ。

「ではさっそく、『ついに本物《ほんもの》の超能力者《ちょうのうりょくしゃ》が現《あらわ》れた』と、日本中《にほんじゅう》で話題沸騰《わだいふっとう》の、超能力《ちょうのうりょく》少年《ねん》をお迎《むか》えしましょう。蝶野力《ちょうのちから》くんです！」

荘厳《そうごん》なクラシック音楽《おんがく》が鳴《な》り響《ひび》き、スモークがたかれるなか、スポットライトを浴《あ》びたチカラが登場《とうじょう》してくる。

観客《かんきゃく》は、いっせいに割《わ》れんばかりの大《おお》きな拍手《はくしゅ》を送《おく》る。

チカラは余裕《よゆう》たっぷりにゆっくりした足取《あしど》りで、涼《すず》しげなほほえみを観客席《かんきゃくせき》に振《ふ》りまいた。

「新時代《しんじだい》の幕開《まくあ》けにようこそ！　これから、みなさんは新《あら》たな時代《じだい》の目撃者《もくげきしゃ》になるんです」

健太《けんた》と美希《みき》は、一瞬《いっしゅん》でチカラがまとう尋常《じんじょう》ではない空気《くうき》に気《き》づいた。

「チカラさん……実際《じっさい》に見《み》ると、すごいオーラだ。とても中学生《ちゅうがくせい》には見《み》えない」

「とっても堂々《どうどう》としてるわね」

健太《けんた》と美希《みき》は小声《こごえ》でささやきあった。

「そして一方《いっぽう》、チカラくんの超《ちょう》能力《のうりょく》をすべて科学《かがく》で解明《かいめい》すると言《い》っているのが、数々《かずかず》の難事件《なんじけん》を科学《かがく》の力《ちから》で解決《かいけつ》に導《みちび》いた、ちまたで話題《わだい》の科学探偵《かがくたんてい》・謎野真《なぞのしん》実《じつ》くんです！　どうぞ」

音楽《おんがく》が鳴《な》り、スモークがたかれるなか、真実《しんじつ》が登場《とうじょう》してく

る。

真実《しんじつ》は、いつもと変《か》わらぬ冷《れい》静《せい》な表情《ひょうじょう》で、一歩《いっぽ》一歩《いっぽ》ステージに近《ちか》づく。

健太《けんた》と美希《みき》、ハマセンは精《せい》いっぱい大《おお》きな拍手《はくしゅ》を真実《しんじつ》に送《おく》った。

（真実《しんじつ》くん、がんばれ！）

健太《けんた》は、そう

心《こころ》の中《なか》で何度《なんど》も叫《さけ》んでいた。

ふたりがステージにそろうと、司会者《しかいしゃ》が番組進行《ばんぐみしんこう》の説明《せつめい》を始《はじ》めた。

「まずチカラくんに超能力《ちょうのうりょく》を披露《ひろう》してもらい、それを見《み》た真実《しんじつ》くんがもしトリックがあると思《おも》ったときは、解《と》いてもらうという順番《じゅんばん》で、番組《ばんぐみ》を進行《しんこう》したいと思《おも》います」

チカラは余裕《よゆう》たっぷりの表情《ひょうじょう》で、観客《かんきゃく》と向《む》き合《あ》った。

「それでは、まずは、デモンストレーションからね」

チカラは、ポケットからスプーンを数本《すうほん》取《と》り出《だ》し、次々《つぎつぎ》に曲《ま》げてみせる。

「おおっ!?」

会場《かいじょう》の観客《かんきゃく》からは感嘆《かんたん》の声《こえ》があがる。

「でも、こういうフツーなものは、もうみんな、見慣《みな》れちゃったよね。ちなみに、こういう力《ちから》はボクだけのものじゃないからね」

チカラはほほえみながら、テレビカメラを指《ゆび》さした。

「テレビの前《まえ》の、キミたち一人《ひとり》ひとりの中《なか》に、ちゃんと眠《ねむ》っているんだよ。力《ちから》を出《だ》すために必要《ひつよう》なもの、まずは……信《しん》じる心《こころ》かな。スプーンが軟《やわ》らかいとイメージするんだ。詳《くわ》しいことは、ボクのオンラインサロンで、会員《かいいん》に特別《とくべつ》に公開《こうかい》しているので、ぜひのぞいてみて」

「えー、あのスプーン曲《ま》げって、結局《けっきょく》、真実《しんじつ》くんが言《い》ってた『てこの原理《げんり》』でできるやつなのに……」

健太《けんた》がそう言《い》って美希《みき》を見《み》ると、美希《みき》は何《なに》やら感心《かんしん》したようにうなずいていた。

「やるわね……全国《ぜんこく》ネットの番組《ばんぐみ》で、さらりと自分《じぶん》のサロンの宣伝《せんでん》を入《い》れてくるなんて。見《み》習《なら》わなくっちゃ」

「もうっ、美希《みき》ちゃん、何《なに》を感心《かんしん》してるのさ。真実《しんじつ》くんの対決相手《たいけつあいて》なのに」

「あっ、ごめんごめん！」

「さてと、始《はじ》めようかな」

チカラはステージ上《じょう》で、ジャケットをしっかり腕《うで》まくりしなおして、会場《かいじょう》を見回《みまわ》した。

「ボクならスプーンを曲《ま》げるだけじゃなく、こんなこともできるってところを、今《いま》からお見《み》せするね」

チカラがパチンと指《ゆび》を鳴《な》らす。

すると、番組《ばんぐみ》スタッフがテーブルをステージ中央《ちゅうおう》に運《はこ》んできた。

テーブルの上《うえ》には透明《とうめい》な液体《えきたい》の入《はい》った大《おお》きめのビーカーがのっている。

「このビーカーに入《はい》っているのはふつうの水《みず》です。今《いま》からその証拠《しょうこ》をお見《み》せしましょう」

スタッフが、ガラスのコップを運《はこ》んでくる。

「あ、金魚《きんぎょ》だ！」

観覧席《かんらんせき》の健太《けんた》は、コップの中《なか》で金魚《きんぎょ》が泳《およ》いでいるのに気《き》づいた。

チカラはコップを受《う》け取《と》って、手《て》で金魚《きんぎょ》をすくい、ビーカーの中《なか》に放《はな》した。

「ほら、ビーカーの中《なか》で金魚《きんぎょ》が泳《およ》いでいる。ふつうの水《みず》だとわかったよね」

真《ま》っ赤《か》な金魚《きんぎょ》がスイスイと、ビーカーの中《なか》を泳《およ》ぐ。

「ありがとう、キミの出番《でばん》はここまでだよ」

チカラはビーカーから金魚《きんぎょ》をすくい、水《みず》の入《はい》ったコップに戻《もど》してスタッフに渡《わた》した。

そして濡《ぬ》れた手《て》を、用意《ようい》されていたボウルの水《みず》で洗《あら》い、タオルで拭《ふ》いてから、観客《かんきゃく》たちを見《み》た。

チカラはテーブルの下《した》に用意《ようい》されていたケースから、１本《ぽん》のスプーンを取《と》り出《だ》して、テーブルの上《うえ》に置《お》いた。

「無限《むげん》の力《ちから》を、解《と》き放《はな》て！」

チカラは、テーブルの上《うえ》のスプーンに手《て》をかざした。

「今《いま》、ボクのイメージが、スプーンの中《なか》へ……水《みず》を吸《す》ったスポンジのようにどんどんしみ込《こ》んでいます」

チカラは、スプーンの上《うえ》で強《つよ》くこぶしを握《にぎ》り、念《ねん》を送《おく》っているようだ。

「オッケー。では、いってみようか」

チカラは、そっとスプーンをつまみ上《あ》げた。

「このスプーンを水《みず》の中《なか》に入《い》れると……」

健太《けんた》やすべての観客《かんきゃく》たちの視線《しせん》がビーカーに集《あつ》まる。

スプーンが、ビーカーの水《みず》に入《はい》ると、驚《おどろ》くべきことが起《お》こった。

水中《すいちゅう》で、スプーンの形《かたち》が少《すこ》しずつくずれ、ゆっくりと溶《と》けはじめたのだ！

やがて、スプーンはドロドロした銀色《ぎんいろ》の液体《えきたい》となって、ビーカーの底《そこ》に沈《しず》んでいった。


「ええーっ!?　スプーンが溶《と》けた！」

「うそでしょ!?」


健太《けんた》と美希《みき》は驚《おどろ》きのあまり、思《おも》わず声《こえ》をあげた。

「驚《おどろ》きました！　なんと、目《め》の前《まえ》で、スプーンがドロドロに溶《と》けてしまいました!!」

司会者《しかいしゃ》は興奮《こうふん》して叫《さけ》び、観客《かんきゃく》たちもいっせいに大拍手《だいはくしゅ》を送《おく》った。

チカラは満足《まんぞく》そうに真実《しんじつ》を見据《みす》えて、言《い》った。

「さあ、これもトリックがあるとでも言《い》うのかな？　真実《しんじつ》くん」

司会者《しかいしゃ》が、真実《しんじつ》に目《め》を向《む》ける。

「今《いま》、我々《われわれ》の目《め》の前《まえ》で起《お》きた、この圧倒的《あっとうてき》な現象《げんしょう》を、はたして、科学《かがく》の力《ちから》で本当《ほんとう》に解明《かいめい》できるのでしょうか!?　それでは真実《しんじつ》くん、どうぞ」

「はい」

真実《しんじつ》は静《しず》かに答《こた》えて、口元《くちもと》に手《て》を当《あ》てたまま、ビーカーの中《なか》の溶《と》けたスプーンをじっと見《み》つめた。

健太《けんた》、美希《みき》、ハマセンも、観客《かんきゃく》たちと一緒《いっしょ》に真実《しんじつ》を見守《みまも》った。

（……真実《しんじつ》くんなら、きっと見破《みやぶ》ることができる）

健太《けんた》は、ギュッとこぶしを握《にぎ》った。

真実《しんじつ》はビーカーから目《め》を離《はな》すと、ステージのすみに置《お》かれていたボウルに目《め》をやった。

さっき、チカラが金魚《きんぎょ》をすくったあとに、手《て》を洗《あら》った水《みず》だ。

ボウルの外側《そとがわ》には、ビッシリと水滴《すいてき》がついている。

「やっぱり、そうか」

真実《しんじつ》は、そうつぶやいて眼鏡《めがね》をクイッとあげた。


「はい、この現象《げんしょう》には、トリックがあります」

真実《しんじつ》の言葉《ことば》に、観客《かんきゃく》たちが息《いき》をのんだ。

「科学《かがく》で解《と》けないナゾはない。すべてのナゾは解《と》けました」

スタジオにいる全員《ぜんいん》が、息《いき》をつめて、真実《しんじつ》の言葉《ことば》を待《ま》った。

ボウルの外側《そとがわ》に水滴《すいてき》がついていたのは中《なか》の水《みず》が冷《つめ》たかったからだよ。

解《かい》決《けつ》編《へん》

真実《しんじつ》はじっとチカラを見据《みす》えて、静《しず》かに告《つ》げた。

「先《さき》ほどのスプーンの材質《ざいしつ》は、一般的《いっぱんてき》なステンレス製《せい》ではありませんね。おそらく、ガリウムでできているようです」

「え……ガリウムって、何《なに》それ」

耳慣《みみな》れない言葉《ことば》に、観覧席《かんらんせき》の健太《けんた》が思《おも》わずつぶやいた。

ステージ上《じょう》のチカラは、顔色《かおいろ》ひとつ変《か》えずに、真実《しんじつ》を見《み》つめていた。

真実《しんじつ》は、涼《すず》しげな表情《ひょうじょう》で続《つづ》けた。

「ガリウムは元素番号《げんそばんごう》31番《ばん》の金属元素《きんぞくげんそ》です。ガリウムの特徴《とくちょう》は、融点《ゆうてん》が29・8℃と低《ひく》いことです。つまり、その温度以上《おんどいじょう》になると、固体《こたい》から液体《えきたい》になるのです」

司会者《しかいしゃ》は、念《ねん》を押《お》すように、真実《しんじつ》の発言《はつげん》を繰《く》り返《かえ》した。

「つまり、チカラくんが溶《と》けさせたスプーンは、ガリウムという素材《そざい》でできているということですか？」

「はい。そしてビーカーの中《なか》の水《みず》は、ぬるま湯《ゆ》でしょうね。融点《ゆうてん》よりも高《たか》

ガリウム
光沢《こうたく》のある銀色《ぎんいろ》をしていて、手《て》で触《さわ》っても毒《どく》性《せい》はないとされている。ほとんどのLED《エルイーディー》（発光《はっこう》ダイオード）には、ガリウムが含《ふく》まれている

融点《ゆうてん》
氷《こおり》が水《みず》になるように、固体《こたい》が液体《えきたい》に変《か》わる温《おん》度《ど》。ガリウムのほかに、室温《しつおん》で液体《えきたい》である金属《きんぞく》には、水銀《すいぎん》（融点《ゆうてん》はマイナス38・8℃）、セシウム（融点《ゆうてん》は28・4℃）、ルビジウム（融点《ゆうてん》は38・9℃）がある。

い温度《おんど》のぬるま湯《ゆ》にガリウムでできたスプーンをつければ、あのように溶《と》けるのは、あたりまえです。超能力《ちょうのうりょく》でもなんでもありません」

観客《かんきゃく》は、真実《しんじつ》の推理《すいり》を驚《おどろ》きながら聞《き》き、チカラの顔《かお》と見比《みくら》べた。

しかしチカラは顔色《かおいろ》ひとつ変《か》えずに、黙《だま》って聞《き》いていた。

「チカラさんはスプーンに触《ふ》れる前《まえ》に、手《て》を洗《あら》うように見《み》せかけて、冷水《れいすい》に手《て》をつけて冷《ひ》やしていました。手《て》を洗《あら》ったボウルの外側《そとがわ》には、びっしりと水滴《すいてき》がついていました。これは、中《なか》の水《みず》が冷《つめ》たい証《しょう》

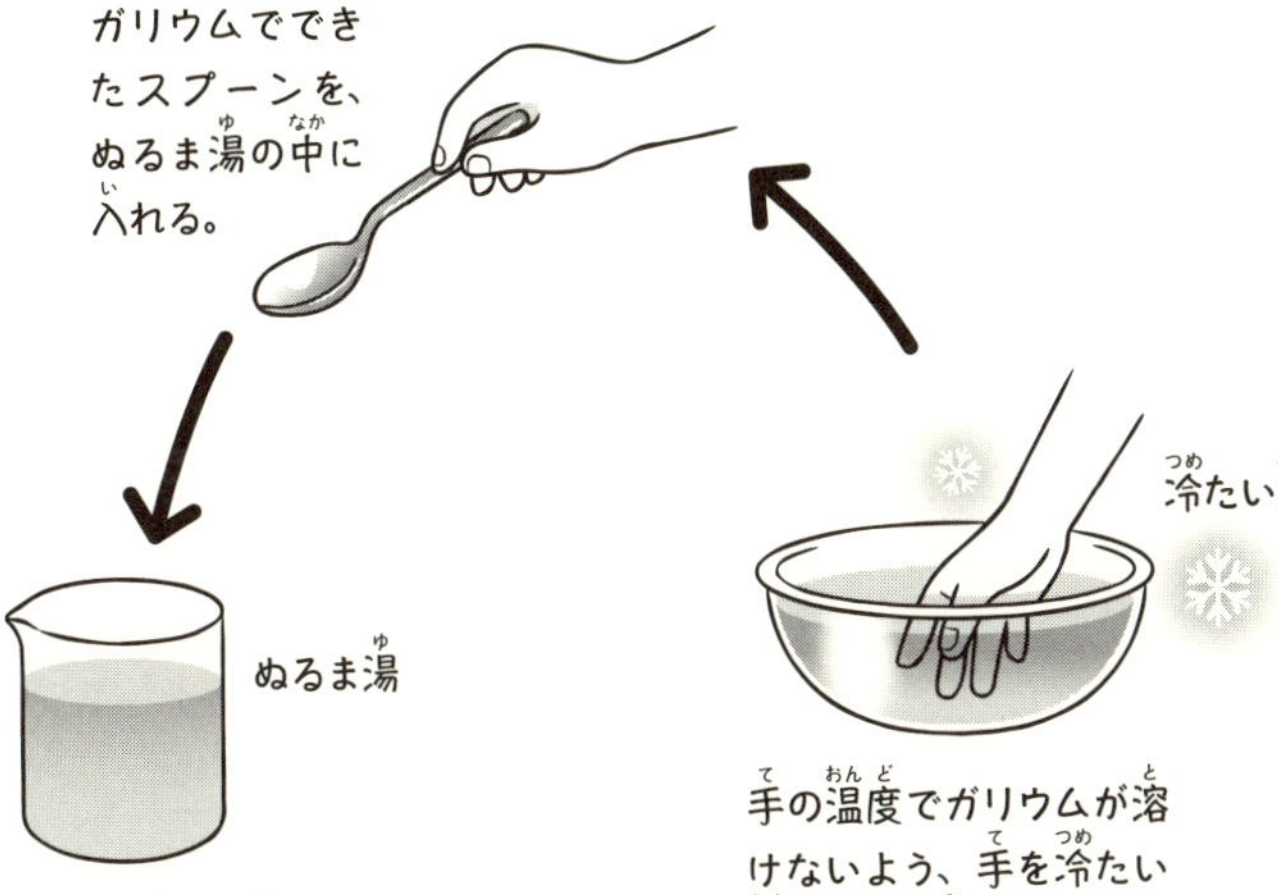
ガリウムでできたスプーンを、ぬるま湯《ゆ》の中《なか》に入《い》れる。
冷《つめ》たい水《みず》
ぬるま湯《ゆ》
ガリウムが29.8℃以上《いじょう》に温《あたた》まり、固体《こたい》から液体《えきたい》に変《か》わる。
手《て》の温度《おんど》でガリウムが溶《と》けないよう、手《て》を冷《つめ》たい水《みず》につけて冷《ひ》やす。

※ちなみに金魚《きんぎょ》は、ぬるま湯《ゆ》の中《なか》でも生《い》きられる。ただし、長時間《ちょうじかん》は避《さ》けたほうがいい。

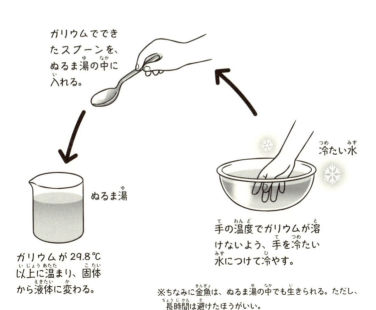

拠《こ》です。スプーンを持《も》ったときに手《て》の温度《おんど》で溶《と》けてしまわないようにするためですよね？」

真実《しんじつ》はそう言《い》って、チカラを見《み》た。

チカラは、じっと真実《しんじつ》を見《み》つめていたが、急《きゅう》に笑顔《えがお》になり、拍手《はくしゅ》する。

「ブラーヴォ！　ブラーヴォ！　真実《しんじつ》くんの推理《すいり》、実《じつ》に熱《ねつ》が入《はい》っていて、聞《き》きごたえがあったよ。キミが言《い》うように、ガリウムは確《たし》かにそういう性《せい》質《しつ》を持《も》つ物質《ぶっしつ》かもね」

健太《けんた》は、チカラがくやしがると思《おも》いきや、あくまでも余裕《よゆう》たっぷりなことに驚《おどろ》いた。

「ボクね、常日《つねひ》ごろ思《おも》うんだ。科学《かがく》でなんでも解決《かいけつ》した気《き》になる、こういう人《ひと》たちが世《よ》の中《なか》をつまらなくしているんだってね」

チカラは観覧席《かんらんせき》を見回《みまわ》して、熱《ねつ》っぽく語《かた》りはじめた。

「みんな、そう思《おも》わない？　最近《さいきん》、人《ひと》ががんばっていると、すぐ茶々《ちゃちゃ》を入《い》れてくるやつが多《おお》すぎるって。夢《ゆめ》に向《む》かってがんばっている人《ひと》の足《あし》を引《ひ》っ

ブラーヴォ
イタリア語《ご》で、「すばらしい！」「おみごと！」などを意味《いみ》する、称賛《しょうさん》の言葉《ことば》。主《おも》に、オペラやクラシック音楽《おんがく》の舞《ぶ》台《たい》で、観客《かんきゃく》が演者《えんじゃ》に向《む》かって叫《さけ》ぶ。

張《ば》ってさ、さも自分《じぶん》がえらくなったようにカン違《ちが》いしてるやつばっかりでイヤになるよね」

「そうだ！　そうだ！」

観覧席《かんらんせき》のチカラのフレンドたちが、共感《きょうかん》の声《こえ》をあげた。

チカラは、その言葉《ことば》を聞《き》いて、余裕《よゆう》たっぷりにほほえみ、うなずいた。

「先《さき》ほどの真実《しんじつ》くんの意見《いけん》には、ボクは否定《ひてい》も肯定《こうてい》もしないでおきましょう。テレビの前《まえ》のみなさんには、ぜひとも自分《じぶん》の頭《あたま》で判断《はんだん》してほしい。今《いま》のは、単《たん》なる小手調《こてしら》べでした。超能《ちょうのう》力《りょく》に疑問《ぎもん》をはさませる余地《よち》をつくってしまった、ボクのミスかもしれない。さあ、次《つぎ》に行《い》きましょうか」

チカラは笑顔《えがお》で、司会者《しかいしゃ》に進行《しんこう》をうながした。

「ここからがメインディッシュだよ。みんな、もうおなかペコペコだよね？」

おそろいのT《ティー》シャツを着《き》たフレンドたちが、チカラの言葉《ことば》に、いっせいに拍手《はくしゅ》で応《こた》えた。

「えーっ、何《なに》これ！　ホントにガリウムかどうか、調《しら》べればすぐにわかるのに！　こんなのあり？　美希《みき》ちゃん」

健太《けんた》は、納得《なっとく》がいかずに美希《みき》を見《み》た。

「やるわね……。超能力《ちょうのうりょく》のトリックを見破《みやぶ》られたのに、いつのまにか揚《あ》げ足《あし》を取《と》る人《ひと》の批判《ひはん》の話《はなし》にして論点《ろんてん》をすりかえた。とても手《て》ごわいわ」

（そんな……、真実《しんじつ》くんがトリックを言《い》い当《あ》てたのに負《ま》けを認《みと》めないなんて……。こんな相《あい》手《て》、初《はじ》めてだ。真実《しんじつ》くん、だいじょうぶかな）

チカラは、会場《かいじょう》を見渡《みわた》して言《い》った。

「今《いま》からやる超能力《ちょうのうりょく》は、誰《だれ》かの協力《きょうりょく》が必要《ひつよう》なんだけど……。ボクのフレンドじゃない人《ひと》で、できればひとり暮《ぐ》らしの人《ひと》がいいですね」

観覧席《かんらんせき》のハマセンは、まわりをキョロキョロと見回《みまわ》してから、おもむろに手《て》を挙《あ》げた。

健太《けんた》と美希《みき》は、驚《おどろ》いてハマセンを見《み》た。

「え、先生《せんせい》？」

「しかたないだろ。まわりを見《み》ても、該当《がいとう》するのはオレしかいない」

確《たし》かに、観覧席《かんらんせき》にいるのは、ほとんどがチカラのフレンドたちだった。

「では、そこの方《かた》、お手伝《てつだ》いお願《ねが》いします。さあさあ、ステージにどうぞ！」

ハマセンは、司会者《しかいしゃ》にうながされて、あわてて寝《ね》ぐせのついた髪《かみ》をなでつけ、シャツをズボンに入《い》れながら、ステージへと上《あ》がった。

「みなさん、どうぞ拍手《はくしゅ》でお迎《むか》えください！」

拍手《はくしゅ》のなか、ハマセンは照《て》れ笑《わら》いしながら、ペコペコと会釈《えしゃく》して、ステージを歩《ある》き、チカラの前《まえ》に立《た》った。

そのようすを見《み》て、健太《けんた》がつぶやいた。

「……しかたないとか言《い》ってたけど、すごくうれしそう」

司会者《しかいしゃ》は、ハマセンにマイクを向《む》けた。

「それでは、簡単《かんたん》に、ご職業《しょくぎょう》とお名前《なまえ》をお聞《き》かせ願《ねが》えますか？」

「あ、え、はい！」

ハマセンは司会者《しかいしゃ》のマイクをいきなり奪《うば》って、カメラを探《さが》し、じっと見《み》つめた。

「浜田《はまだ》と申《もう》します！　教師《きょうし》をやっております！　最近凝《さいきんこ》っているのは、掃除《そうじ》です。独身《どくしん》で、恋人募集中《こいびとぼしゅうちゅう》です！　あ、いらんこと言《い》ってしまった、ガハハハ」

司会者《しかいしゃ》はその勢《いきお》いに少《すこ》し戸惑《とまど》いながら、マイクを取《と》り返《かえ》した。

チカラは、フォローするように、にこやかに、みんなに話《はな》しかけた。

「非常《ひじょう》にテレビ慣《な》れしていない方《かた》で……本物《ほんもの》の素人《しろうと》さんだってわかりますよね？　ボクがインチキしてないって証拠《しょうこ》だね」

それを聞《き》いたスタジオの観客《かんきゃく》も、いっせいに笑《わら》った。

「めちゃくちゃ恥《は》ずかしいよ……先生《せんせい》」

健太《けんた》は、自分《じぶん》のことのように恥《は》ずかしくなり、うつむいてしまった。


「ボクはどれだけ距離《きょり》が離《はな》れていても、その場所《ばしょ》を見通《みとお》すことができる。つまり、遠隔《えんかく》での透視《とうし》ができます」

「千里眼《せんりがん》、またはリモートビューイングと呼《よ》ばれるものですね」

と、司会者《しかいしゃ》はフォローした。

「ええ。ボクは今《いま》から、この浜田《はまだ》さんという方《かた》の部屋《へや》を千里眼《せんりがん》で透視《とうし》したいと思《おも》います」

「なんと、チカラくんが、今《いま》から千里眼《せんりがん》での透視《とうし》に挑戦《ちょうせん》するそうです！」

千里眼《せんりがん》
遠《とお》く離《はな》れた場所《ばしょ》の出来《でき》事《ごと》などを見通《みとお》すことのできる超能力《ちょうのうりょく》。一般的《いっぱんてき》な透視能力全般《とうしのうりょくぜんぱん》を指《さ》すこともある。ちなみに「里《り》」は、日本《にほん》の昔《むかし》の距離《きょり》の単位《たんい》で、1里《り》は約《やく》4キロメートル。

ハマセンが、おそるおそる司会者《しかいしゃ》に尋《たず》ねた。

「あのお、最近《さいきん》、オレは引《ひ》っ越《こ》ししたばっかりで、まだ誰《だれ》も部屋《へや》には入《い》れてないけど……、いいんですかね？」

「もちろんです、そのほうが好都合《こうつごう》です。みなさん、お聞《き》きになりましたか？　ご本人以外《ほんにんいがい》は、まだ誰《だれ》も入《はい》っていないという部屋《へや》を、今《いま》から透視《とうし》しようとしているんです」

「それでは、リラックスして目《め》をつぶってください」

チカラはそう言《い》って、ハマセンに目《め》を閉《と》じさせると、ハマセンの肩《かた》にそっと手《て》を置《お》いた。


「無限《むげん》の力《ちから》を、解《と》き放《はな》て！」


チカラはそう叫《さけ》ぶと、自《みずか》らも目《め》を閉《と》じた。

「今《いま》、ボクの意識《いしき》は、浜田《はまだ》さんの部屋《へや》まで飛《と》んでいってます」

チカラは、フーッと呼吸《こきゅう》を整《ととの》え、集中《しゅうちゅう》しながら続《つづ》ける。

「あ、この家《いえ》がそうですね……今《いま》、部屋《へや》に入《はい》ります」

健太《けんた》は息《いき》をつめて、チカラを見守《みまも》った。

「うん、なるほど……なるほど。はいはい」

チカラは目《め》をつぶりながらも、まるで実際《じっさい》に部屋《へや》にいるかのように、あたりを見回《みまわ》した。

「はいっ……見《み》えました」

チカラは用意《ようい》してあったスケッチブックに、スラスラと何《なに》かを描《か》きはじめた。

部屋《へや》の間取《まど》り図《ず》だ。

「部屋《へや》は、このような配置《はいち》ですね。6畳《じょう》と4畳半《じょうはん》の部屋《へや》がこのように並《なら》んでいて、6畳《じょう》の部屋《へや》はフローリング、丸《まる》いテーブルと座布団《ざぶとん》を置《お》いていますね。こちらの4畳半《じょうはん》は畳《たたみ》で、布団《ふとん》が敷《し》きっぱなしになっています。そして、ここに小《ち》さなキッチンがありました」

健太《けんた》は、そこまでハッキリ言《い》い切《き》ってしまうことに、驚《おどろ》いた。

(インチキな超能力者《ちょうのうりょくしゃ》って、すぐあいまいな表現《ひょうげん》で逃《に》げるって聞《き》いたけど……チカラさん

はここまでハッキリと……。よほど、自信《じしん》があるんだな）

チカラの描《か》いた間取《まど》り図《ず》を見《み》ていたハマセンは、驚《おどろ》いて言《い》った。

「……間違《まちが》いない、合《あ》っている！　このとおりの部屋《へや》です」

「すごい!!」

と、観客《かんきゃく》たちは大《おお》きな拍手《はくしゅ》を送《おく》った。

「いやはや、驚《おどろ》きました……。では真実《しんじつ》くん。この現象《げんしょう》についてもトリックがあるのか？　科学《かがく》の力《ちから》で、ナゾを解《と》いていただきましょう!!」

司会者《しかいしゃ》、観客《かんきゃく》たち、そしてスタジオじゅうのテレビカメラが、いっせいに真実《しんじつ》のほうを向《む》く。

「では、ぼくから、いくつか質問《しつもん》をさせてください」

真実《しんじつ》は、ハマセンのほうを見《み》た。

「宅配便《たくはいびん》などの配達員《はいたついん》の方《かた》も、部屋《へや》には入《はい》っていませんか？」

「何人《なんにん》か来《き》たよ。でも玄関《げんかん》と部屋《へや》のあいだにはとびらがあって、いつも閉《し》めて対応《たいおう》するから、たとえ玄関《げんかん》からでも中《なか》のようすは見《み》えないよ」

「それでは、水道《すいどう》や、エアコンの修理《しゅうり》など、その他《た》の業者《ぎょうしゃ》の方《かた》も家《いえ》に入《い》れてはいないですね？」

「うん。あとうちの建物《たてもの》は、郊外《こうがい》の丘《おか》の上《うえ》にあって、まわりの建物《たてもの》から離《はな》れてるから、どこからも、オレの部屋《へや》は見《み》えないはずだよ」

「では、不動産屋《ふどうさんや》やネット上《じょう》に、先生《せんせい》の部屋《へや》の情報《じょうほう》が出《で》ている可能性《かのうせい》はありませんか？」

「親戚《しんせき》が、この部屋《へや》の大家《おおや》だからね。1階《かい》はそのおばさん夫婦《ふうふ》が住《す》んでいて、2階《かい》をオレが借《か》りている。だから一般《いっぱん》に部屋《へや》を募集《ぼしゅう》してはいないんだ」

質問《しつもん》を終《お》えた真実《しんじつ》は、じっと考《かんが》えて黙《だま》り込《こ》む。

観客《かんきゃく》も、かたずをのんで真実《しんじつ》を見《み》つめていた。

長《なが》い沈黙《ちんもく》が続《つづ》いた。

健太《けんた》は、ずっと祈《いの》るような気持《きも》ちで遠《とお》くから真実《しんじつ》を見守《みまも》っていた。

（真実《しんじつ》くんなら、ぜったい解《と》ける！）

しかし、司会者《しかいしゃ》が言葉《ことば》をはさんだ。

「これにてタイムアップです！　よって、チカラくんの、超能力《ちょうのうりょく》の勝利《しょうり》です!!」

観客《かんきゃく》たちは大《おお》きな拍手《はくしゅ》で、勝利《しょうり》したチカラを祝福《しゅくふく》した。


「チカラくん、サイコー!!」

「かっこいい!!」


チカラのフレンドたちは、大喜《おおよろこ》びだ。

健太《けんた》と美希《みき》は、負《ま》けを告《つ》げられた真実《しんじつ》の姿《すがた》を、ぼう然《ぜん》とながめるしかなかった。

しかし、真実《しんじつ》はなおも、じっと黙《だま》って考《かんが》え続《つづ》けていた。

「はい、オッケーでーす！　お疲《つか》れさまでした～」

若手《わかて》のスタッフが叫《さけ》び、番組《ばんぐみ》の放送《ほうそう》が終《お》わった。

観覧席《かんらんせき》の人々《ひとびと》は、スタッフたちに誘導《ゆうどう》されて続々《ぞくぞく》と退場《たいじょう》した。

すぐさま、軍手《ぐんて》をはめたスタッフたちが、いっせいに散《ち》らばって、スタジオのセットを解《かい》体《たい》しはじめた。

「なんだか夢《ゆめ》を見《み》ていたみたい」

美希《みき》が、セットが一気《いっき》にバラバラになるようすを見《み》ながらつぶやいた。

あんなに立派《りっぱ》だったセットが簡単《かんたん》に解体《かいたい》されていく。

健太《けんた》たちは、まだ薄暗《うすぐら》いスタジオの片隅《かたすみ》に立《た》っていた真実《しんじつ》に駆《か》け寄《よ》って、声《こえ》をかけた。

「時間《じかん》さえあれば……、真実《しんじつ》くんならぜったい、解《と》けたと思《おも》う！」

「謎野《なぞの》、すまん！　簡単《かんたん》に部屋《へや》の間取《まど》りを当《あ》てられてしまって……。きっとオレの頭《あたま》ン中《なか》を読《よ》まれちまったんだな」

ハマセンが、トンチンカンな謝《あやま》りかたをしたとき、軽井《かるい》がチカラの横《よこ》にぴったり付《つ》いて、真実《しんじつ》たちのすぐそばを通《とお》りかかった。

「チカラ先生《せんせい》！　お車《くるま》をご用意《ようい》しました。打《う》ち上《あ》げに、高級《こうきゅう》なお寿司屋《すしや》に行《い》きましょう！」

軽井《かるい》は、真実《しんじつ》たちのほうにようやく気《き》づいたのか、チラッと見《み》た。

「あ、お疲《つか》れ。キミら、駅《えき》はあっちね。帰《かえ》りかた、わかるよね？」

軽井《かるい》は、テレビ局《きょく》にやってきたときとはあまりに違《ちが》う態度《たいど》で、冷《つめ》たく言《い》い放《はな》った。

（こんなにあからさまにコロッと態度《たいど》を変《か》える人《ひと》がいるなんて!!）

健太《けんた》はあきれた。

そしてチカラは、すれ違《ちが》いざまに、真実《しんじつ》の前《まえ》で立《た》ち止《ど》まった。

「これから、決《き》めゼリフ変《か》えたらどう？　科学《かがく》で解《と》けないナゾもある！ってね」

チカラはクククと笑《わら》いながら、軽井《かるい》と一緒《いっしょ》に去《さ》った。

「ほんとイヤなやつ!!」

美希《みき》は、顔《かお》をしかめて言《い》い捨《す》てた。

しかし真実《しんじつ》は表情《ひょうじょう》ひとつ変《か》えず、じっと考《かんが》えることをやめなかった。

「彼《かれ》は、部屋《へや》の中《なか》のすべてを見通《みとお》せたわけじゃない。必《かなら》ずどこかにトリックを解《と》く鍵《かぎ》があるはずだ……」

I

SCIENCE TRICK DATA FILE

科学《かがく》トリックデータファイル

金属《きんぞく》ってどんなもの?

金属《きんぞく》とは、次《つぎ》のような共通《きょうつう》の特徴《とくちょう》がある物質《ぶっしつ》の総称《そうしょう》です。

・ツヤツヤした特有《とくゆう》の光沢《こうたく》がある。
・熱《ねつ》や電気《でんき》をよく通《とお》す。
・よくのびて、加工《かこう》が簡単《かんたん》。

「金属《きんぞく》」と聞《き》くと、硬《かた》くて重《おも》い鉄《てつ》やピカピカ光《ひか》る金《きん》をイメージすることが多《おお》いですが、1章《しょう》のガリウムのように、意外《いがい》な性質《せいしつ》を持《も》つ金属《きんぞく》もあります。いくつか紹介《しょうかい》しましょう。

水《みず》のような金属《きんぞく》 水銀《すいぎん》!

水銀《すいぎん》は融点《ゆうてん》がマイナス38.8℃なので、冷凍庫《れいとうこ》に入《い》れても液体《えきたい》のままだ。(水銀《すいぎん》は有毒《ゆうどく》なので真似《まね》しないように!)

奇妙《きみょう》な金属《きんぞく》リチウム

水《みず》に入《い》れると燃《も》える!?

リチウムは、水中《すいちゅう》に入《い》れると、水《みず》と反応《はんのう》して発火《はっか》することも。そのため、通常《つうじょう》は、油《あぶら》の中《なか》で保管《ほかん》する。

ナイフで切《き》れる!

リチウムはとても軟《やわ》らかく、ナイフでも簡単《かんたん》に切《き》ることができる。

水《みず》に浮《う》く!

リチウムは金属《きんぞく》の中《なか》で最《もっと》も軽《かる》いので、水《みず》にも浮《う》く。

壁《かべ》抜《ぬ》け

超《ちょう》能《のう》力《りょく》少年《しょうねん》2

「うわ〜、すごいたくさんの人《ひと》だ！　あっ、向《む》こうで風船配《ふうせんくば》ってる！」

目《め》を輝《かがや》かせ、駆《か》けだそうとする健太《けんた》の服《ふく》を、グイと美希《みき》が引《ひ》っ張《ぱ》る。

「ぜったい、迷子《まいご》になるでしょ！　ホントに子《こ》どもなんだから、もう！」

健太《けんた》、美希《みき》、真実《しんじつ》の３人《にん》は、となり町《まち》のショッピングモールに来《き》ていた。

ふたりの騒《さわ》がしいやりとりを見《み》て、真実《しんじつ》がほほえむ。

（あっ、真実《しんじつ》くんが笑《わら》った！　真実《しんじつ》くんの笑顔《えがお》、久《ひさ》しぶりだ！）

思《おも》わず美希《みき》の顔《かお》を見《み》る健太《けんた》。美希《みき》は「やったね！」とウインクを返《かえ》した。

テレビ番組《ばんぐみ》の放送《ほうそう》から1週間《しゅうかん》。

チカラの人気《にんき》は、ぐんぐん上《あ》がっていた。

子《こ》どもも大人《おとな》も、チカラの動画《どうが》に夢中《むちゅう》になった。

その一方《いっぽう》で、真実《しんじつ》を見《み》ると、ヒソヒソ話《ばなし》をし、指《ゆび》をさして笑《わら》った。

「ほら見《み》て、あの子《こ》。このあいだ、テレビでチカラくんに負《ま》けた……」

真実《しんじつ》はまるで気《き》にしていないそぶりだったが、健太《けんた》と美希《みき》は知《し》っていた。

真実《しんじつ》が、あれ以来《いらい》、ずっと考《かんが》え続《つづ》けていることを。

――チカラはいったいどうやって、
ハマセンの部屋《へや》の間取《まど》りを言《い》い当《あ》てたのか？

真実《しんじつ》は毎日《まいにち》、昼休《ひるやす》みに職員室《しょくいんしつ》へ行《い》って、ハマセンに質問《しつもん》をしていた。

しかし答《こた》えは「変《か》わったことなんかない」「も〜、しつこい！」の繰《く》り返《かえ》し。

放課後《ほうかご》にはハマセンのアパートを直接《ちょくせつ》見《み》にいってもいた。

しかし、まだナゾの手《て》がかりはつかめていないようだった。

そんな真実《しんじつ》の気分転換《きぶんてんかん》になればと、健太《けんた》と美希《みき》は、ショッピングモールで開《ひら》かれている「幻《まぼろし》の古代魚《こだいぎょ》・ラブカ展《てん》」に真実《しんじつ》を誘《さそ》ったのだ。


「見《み》て、あそこのステージ！　すごい人《ひと》だかりだよ！　ちょっと見《み》ていこうよ」

真実《しんじつ》と美希《みき》の背中《せなか》を押《お》し、イベント用《よう》のステージに近《ちか》づく健太《けんた》。

そのとき――。

ラブカ
水深《すいしん》500〜1千《せん》メートルの深海《しんかい》にすむサメ。3億《おく》5千万年前《せんまんねんまえ》ごろの魚類《ぎょるい》に似《に》た特徴《とくちょう》を持《も》つため、「生《い》きた化石《かせき》」とも呼《よ》ばれる。ラブカの赤《あか》ちゃんはお腹《なか》の中《なか》に約《やく》3年半《ねんはん》もいて、ギネス世界記録《せかいきろく》に「最《もっと》も妊娠期間《にんしんきかん》が長《なが》い動物《どうぶつ》」として認定《にんてい》されている。

ダラララララ……ジャン！

ドラムロールが鳴《な》りひびき、ある人物《じんぶつ》がステージに姿《すがた》を現《あらわ》した。

「ええっ⁉」

現《あらわ》れたのは、チカラだった。

「超能力少年《ちょうのうりょくしょうねん》チカラのショーへようこそ！　今日《きょう》は、みんなの中《なか》にも眠《ねむ》る、科学《かがく》を超《こ》えたすばらしい力《ちから》をたっぷりとお見《み》せします！」

（よりによって、真実《しんじつ》くんにいちばん会《あ》わせたくない人《ひと》と会《あ》っちゃうなんて！）

「そうだ！　ぼくたち、古代魚《こだいぎょ》ラブカを見《み》にきたんだった！　え〜っと、ラブカはあっちだよね」

「そうよ。超能力《ちょうのうりょく》より古代魚《こだいぎょ》よね」

健太《けんた》と美希《みき》はあわてて回《まわ》れ右《みぎ》をしたが、遅《おそ》かった。

「科学《かがく》を超《こ》えた力《ちから》……おもしろそうだ。見《み》ていこう」

真実《しんじつ》は、ステージのチカラをじっと見《み》つめている。

「最初《さいしょ》にお見《み》せするのは、念《ねん》じるだけで物体《ぶったい》を自由《じゆう》に操《あやつ》るサイコキネシス、いわゆる念力《ねんりき》だ」

チカラがパチンと指《ゆび》を鳴《な》らすと、ステージに、台車《だいしゃ》にのせたドラム缶《かん》が運《はこ》びこまれた。

「今《いま》からこのドラム缶《かん》を、指一本《ゆびいっぽん》ふれずにぺしゃんこにつぶしてみせよう」

観客《かんきゃく》たちからどよめきの声《こえ》があがる。

「そんなこと本当《ほんとう》にできるの⁉」

健太《けんた》は真実《しんじつ》を見《み》たが、真実《しんじつ》はステージを見《み》つめたままだった。

チカラは、ドラム缶《かん》に向《む》かって両手《りょうて》を突《つ》き出《だ》すと、真剣《しんけん》な表情《ひょうじょう》で念《ねん》を送《おく》りはじめた。

指先《ゆびさき》がブルブルと震《ふる》える。

「無限《むげん》の力《ちから》を、解《と》き放《はな》て！」

チカラがそう叫《さけ》んだ瞬間《しゅんかん》！

ベコン！

大《おお》きな音《おと》とともに、ドラム缶《かん》は一瞬《いっしゅん》で、握《にぎ》りつぶしたアルミ缶《かん》のようにグシャグシャにつぶれてしまったのである。

「ええっ⁉　そんな‼」

思《おも》わず叫《さけ》び声《ごえ》をあげる健太《けんた》。

人々《ひとびと》があぜんとして見《み》つめるなか、チカラは両手《りょうて》を天《てん》に突《つ》き上《あ》げた。

「これがボクの力《ちから》、そしてみんなの中《なか》にも眠《ねむ》る力《ちから》だ！」

たちまち、会場《かいじょう》は割《わ》れんばかりの拍手《はくしゅ》に包《つつ》まれた。

「チ・カ・ラ！　チ・カ・ラ！」

最前列《さいぜんれつ》に並《なら》んでいた、おそろいの黒《くろ》いT《ティー》シャツを着《き》たフレンドたちが口々《くちぐち》に叫《さけ》ぶ。

「うわっ……すごい！　もしかして、今度《こんど》こそ本物《ほんもの》の超能力《ちょうのうりょく》!?」

「いいや。超能力《ちょうのうりょく》なんかじゃない。『空気《くうき》の力《ちから》』を使《つか》った、簡単《かんたん》なトリックだよ」

ステージのつぶれたドラム缶《かん》を見《み》つめたまま真実《しんじつ》が答《こた》える。

「空気《くうき》の力《ちから》？」

「実《じつ》は、空気《くうき》にはものを押《お》しつぶすほどの強《つよ》い力《ちから》があるんだ」

「知《し》ってる！　それって『大気圧《たいきあつ》』っていうやつでしょ!?」

大気圧《たいきあつ》（気圧《きあつ》）
地球《ちきゅう》を覆《おお》う空気《くうき》による圧《あつ》力《りょく》。すなわち、空気《くうき》の重《おも》さによって押《お》される力《ちから》だ。地上《じょう》付近《ふきん》では、大気圏《たいきけん》の空《くう》気《き》がすべてのしかかってくるので、1平方《へいほう》メートルあたり約《やく》10トン（1万《まん》キログラム）の力《ちから》がかかっている。ドラム缶《かん》が、こんなに強《つよ》い空気《くうき》の力《ちから》に押《お》されていてもつぶれないのは、ドラム缶《かん》の中《なか》からも同《おな》じ力《ちから》がかかって押《お》し合《あ》っているからなんだ。

美希《みき》が得意《とくい》げに言《い》う。

「ああ。ふだん、ドラム缶《かん》には、缶《かん》の外側《そとがわ》と内側《うちがわ》の両方《りょうほう》に『大気圧《たいきあつ》』がかかっている。つまり、空気《くうき》が押《お》し合《あ》う力《ちから》のバランスが取《と》れた状態《じょうたい》だ」

「じゃあ、さっきのドラム缶《かん》はどうしてつぶれたの？」

健太《けんた》が首《くび》をかしげる。

「おそらく、なんらかの方法《ほうほう》でドラム缶《かん》の中《なか》の空気《くうき》を抜《ぬ》いたんだろう。そうすれば缶《かん》の内側《うちがわ》から押《お》す気体《きたい》の圧力《あつりょく》が弱《よわ》まって、外側《そとがわ》から押《お》す大気圧《たいきあつ》に負《ま》けるんだ。ドラム缶《かん》がつぶれたのは、『空気《くうき》の力《ちから》』のせいだよ。彼《かれ》はタイミングを見計《みはか》らって、念《ねん》を送《おく》

缶《かん》の空気《くうき》を抜《ぬ》く方法《ほうほう》

追《お》い出《だ》された空気《くうき》
水蒸気《すいじょうき》
外側《そとがわ》から押《お》す力《ちから》
内側《うちがわ》から押《お》す力《ちから》
水《みず》
水《みず》

① ドラム缶《かん》に水《みず》を入《い》れておく。缶《かん》は外《そと》から押《お》す力《ちから》（気圧《きあつ》）と内側《うちがわ》から押《お》す力《ちから》がつりあっている。

② 缶《かん》を熱《ねっ》すると、中《なか》の水《みず》は気体《きたい》になるため、体積《たいせき》が約《やく》1700倍《ばい》になる（水蒸気《すいじょうき》）。缶《かん》の中《なか》の空気《くうき》はその水蒸《すいじょう》気《き》に追《お》い出《だ》され、抜《ぬ》けてしまう。

③ 缶《かん》にふたをして冷《ひ》やすと、缶《かん》の中《なか》の水蒸気《すいじょうき》が元《もと》の水《みず》に戻《もど》る。中《なか》の空気《くうき》が抜《ぬ》けたため、内側《うちがわ》から押《お》す力《ちから》は弱《よわ》くなり、缶《かん》がへこむ。

る演技《えんぎ》をしただけさ」

「じゃあ、サイコキネシスっていうのはやっぱりウソなんだ！」

「そういうことになるね」

そのとき、ステージのチカラが真実《しんじつ》を指《ゆび》さした。

「やあ！　誰《だれ》かと思《おも》えば名探偵《めいたんてい》の謎野《なぞの》真実《しんじつ》くんじゃないか」

チカラの声《こえ》に、会場《かいじょう》のみんながいっせいに真実《しんじつ》のほうを向《む》く。

「もしかして、ボクの超能力《ちょうのうりょく》を本物《ほんもの》だと認《みと》めて、見学《けんがく》に来《き》てくれたのかな？」

人々《ひとびと》がドッと笑《わら》った。

「本物《ほんもの》なんかじゃないよ！　今《いま》のサイコキネシスだってトリックがあるって……」

思《おも》わず言《い》い返《かえ》そうとした健太《けんた》だったが、言葉《ことば》は続《つづ》かなかった。

「じゃまするな！」

「テレビで負《ま》けたくせに！」

フレンドたちが次々《つぎつぎ》とヤジを飛《と》ばしたのだ。

「みんな、落《お》ち着《つ》いて！　真実《しんじつ》くんはボクの大切《たいせつ》なパートナーだ」

チカラが、おだやかな声《こえ》で会場《かいじょう》に呼《よ》びかける。

「真実《しんじつ》くんが答《こた》えを見《み》つけられなかったおかげで、ボクの力《ちから》は本物《ほんもの》だって証明《しょうめい》されたんだからね。きっと彼《かれ》も、科学《かがく》では説明《せつめい》できない力《ちから》があるって、わかってくれたはずさ」

（う〜！　また話《はなし》をすりかえられた……！）

健太《けんた》は握《にぎ》りこぶしに力《ちから》を込《こ》めた。

「ではみなさん、次《つぎ》にお見《み》せするのは、とっておきの超能力《ちょうのうりょく》、『壁抜《かべぬ》け』です」

チカラがそう言《い》った瞬間《しゅんかん》。


ウ〜〜〜！


耳《みみ》をつんざくサイレン音《おん》が、あたりに鳴《な》り響《ひび》いた。

あわてたようなアナウンスの声《こえ》が、それに続《つづ》く。

壁抜《かべぬ》け
壁《かべ》や窓《まど》ガラスなど、本《ほん》来《らい》ならば通《とお》り抜《ぬ》けることができない物体《ぶったい》を通《とお》り抜《ぬ》けられる超能力《ちょうのうりょく》。

「みなさん！　至急《しきゅう》、ショッピングモールの外《そと》に避難《ひなん》してください！　たった今《いま》、館内《かんない》に爆弾《ばくだん》を仕掛《しか》けたというメッセージが届《とど》きました！　10分《ぷん》後《ご》に爆発《ばくはつ》します！」

「なんだって!?」

「キャーッ！」

人々《ひとびと》がパニックにおちいるなか、ショッピングモールのスタッフが駆《か》け込《こ》んできた。名探偵《めいたんてい》の謎野《なぞの》真実《しんじつ》がいると聞《き》きつけ、助《たす》けを求《もと》めにきたのだ。

「謎野《なぞの》さん、力《ちから》を貸《か》してください！　警察《けいさつ》にも連絡《れんらく》しました

が、到着《とうちゃく》まで待《ま》っていられません！」

「わかりました。それで爆弾《ばくだん》はどこに？」

「とにかくこちらへ！」

スタッフとともに勢《いきお》いよく駆《か》けだす真実《しんじつ》たち。

そのようすを見《み》ていたチカラは、ステージから人々《ひとびと》に呼《よ》びかけた。

「ここはひとまず真実《しんじつ》くんにまかせて、落《お》ち着《つ》いて避難《ひなん》してください。ああ、フレンドの諸《しょ》君《くん》は残《のこ》ってくれるかな？　みなさんの安全《あんぜん》を守《まも》る手助《てだす》けをしてほしいんだ」

そう言《い》ってチカラはニヤリと笑《え》みを浮《う》かべた。

真実《しんじつ》たちが到着《とうちゃく》したのは「幻《まぼろし》の古代魚《こだいぎょ》・ラブカ展《てん》」の会場《かいじょう》だった。


「ここ……!?」

まわりを壁《かべ》で覆《おお》われ、会場《かいじょう》の中《なか》は薄暗《うすぐら》かった。

その中央《ちゅうおう》に、横幅《よこはば》２メートル、高《たか》さ１メートルほどの水槽《すいそう》が置《お》かれていた。

水槽《すいそう》の下《した》は黒《くろ》い台《だい》。上《うえ》は高《たか》さ50センチメートルほどの黒《くろ》い鉄《てつ》の板《いた》で覆《おお》われていた。

「この中《なか》です！」

スタッフが指《ゆび》さした先《さき》——まるで怪物《かいぶつ》のような奇怪《きかい》な顔《かお》つきのラブカが泳《およ》ぐ水槽《すいそう》の底《そこ》に、15センチメートルほどの「海賊船《かいぞくせん》」の模型《もけい》が置《お》かれていた。

船室《せんしつ》の奥《おく》で、赤《あか》い光《ひかり》が点滅《てんめつ》している。

「これが爆弾《ばくだん》!? あっ、赤《あか》い光《ひかり》の横《よこ》に、数字《すうじ》とスイッチみたいなものが見《み》えるよ！」

健太《けんた》の言葉《ことば》に、真実《しんじつ》がうなずいた。

「ぼくが通《かよ》っていたホームズ学園《がくえん》で見《み》たことがあります。タイマー式《しき》の時限爆弾《じげんばくだん》ですね。このタイプなら、水槽《すいそう》から海賊船《かいぞくせん》を取《と》り出《だ》してスイッチを

深海魚《しんかいぎょ》は飼育《しいく》できる？

水圧《すいあつ》の高《たか》い深海《しんかい》にいる魚《さかな》を地上《ちじょう》に引《ひ》き揚《あ》げると、水圧《すいあつ》の変化《へんか》で体《からだ》の中《なか》にある浮袋《うきぶくろ》がふくらんで、内臓《ないぞう》が口《くち》から出《で》てしまうことがある。そんな魚《さかな》を水族館《すいぞくかん》で飼《か》うときは、注射器《ちゅうしゃき》で浮《うき》袋《ぶくろ》の空気《くうき》を抜《ぬ》くことで、ふつうの水槽《すいそう》で飼育《しいく》できるようになる。サメは、そもそも浮袋《うきぶくろ》がないため、そのままふつうの水槽《すいそう》で飼育《しいく》できる。

切《き》れば、爆発《ばくはつ》は防《ふせ》げるはずです」

真実《しんじつ》はすばやく水槽《すいそう》を見回《みまわ》した。

「海賊船《かいぞくせん》を取《と》り出《だ》すとしたら、水槽《すいそう》の上《うえ》からしかない」

真実《しんじつ》は鉄板《てっぱん》に手《て》をかけると、軽々《かるがる》と水槽《すいそう》の上《うえ》に体《からだ》を引《ひ》き上《あ》げた。

しかし、水槽《すいそう》の上《うえ》の状態《じょうたい》を見《み》て、ハッとした。

「これは……」

水槽《すいそう》の上《うえ》は、分厚《ぶあつ》い鉄板《てっぱん》でふさがれていたのだ。

スタッフが叫《さけ》んだ。

「その鉄板《てっぱん》を外《はず》そうにも、設置《せっち》したイベント会社《がいしゃ》の人《ひと》たちが帰《かえ》ってしまっていて、どうにもならないんです！」

その言葉《ことば》を聞《き》いた健太《けんた》と美希《みき》が青《あお》ざめた。

「美希《みき》ちゃん、爆発《ばくはつ》まで時間《じかん》は!?」

「あと5分《ふん》くらいよ！」

真実《しんじつ》は、ガラスと鉄板《てっぱん》の継《つ》ぎ目《め》を調《しら》べた。

鉄板《てっぱん》は多数《たすう》のボルトで留《と》められていて、全部《ぜんぶ》外《はず》している時間《じかん》はない。

真実《しんじつ》はヒラリと水槽《すいそう》から飛《と》び降《お》りるとスタッフに言《い》った。

「時間《じかん》がありません。水槽《すいそう》を割《わ》りましょう」

「水槽《すいそう》を割《わ》る……!? でも、中《なか》には貴重《きちょう》な古代魚《こだいぎょ》が……!」

真実《しんじつ》は、スタッフの瞳《ひとみ》をまっすぐに見《み》つめて言《い》った。

「人《ひと》の命《いのち》には代《か》えられません」

あたりは緊張《きんちょう》に包《つつ》まれた。

そのとき。

「フッフッフッ……。科学《かがく》を信《しん》じる者《もの》は実《じつ》に無力《むりょく》だね」

真実《しんじつ》たちが振《ふ》り向《む》くと、そこには、フレンドたちを引《ひ》き連《つ》れたチカラが立《た》っていた。

「何《なに》しに来《き》たの!?」

美希《みき》が言《い》うと、チカラはニヤリと笑《わら》いながらゆっくりと水槽《すいそう》に近《ちか》づき、ガラスをコンコンとたたいてみせた。

「ガラスを割《わ》る必要《ひつよう》なんかない。このボクが水槽《すいそう》から爆弾《ばくだん》を取《と》り出《だ》してあげますよ」

「なんだって!?　いったいどうやって取《と》り出《だ》すつもりだい!?」

驚《おどろ》いたスタッフが声《こえ》をあげる。

すると、チカラは右手《みぎて》を伸《の》ばし、手《て》のひらを水槽《すいそう》のガラスにピタリとつけた。

「『壁抜《かべぬ》け』ですよ。ボクの右手《みぎて》は、水槽《すいそう》のガラスを突《つ》き抜《ぬ》けることができる」

今度《こんど》は健太《けんた》が声《こえ》をあげた。

「壁抜《かべぬ》けなんて、そんなこと、できっこないよ！」

「いいや、できるよ。ボクならね」

真実《しんじつ》は、ガラスに伸《の》ばしたチカラの右腕《みぎうで》を力強《ちからづよ》くつかんだ。

「これはショーじゃない。大勢《おおぜい》の人《ひと》の命《いのち》がかかっているんだ」

「だいじなのは人《ひと》の命《いのち》だけかい？　水槽《すいそう》を割《わ》ったら古代魚《こだいぎょ》が死《し》んじゃうじゃないか」

「あと3分《ぷん》ないわ！」

美希《みき》が叫《さけ》ぶ。

同時《どうじ》にスタッフが水槽《すいそう》の前《まえ》に飛《と》び出《だ》した。

「頼《たの》む！　超能力《ちょうのうりょく》でもなんでもいい！　爆弾《ばくだん》を取《と》り出《だ》してくれ！」

チカラがニヤリと笑《わら》う。

「名探偵《めいたんてい》さん。その手《て》を離《はな》してくれるかな？　ボクの出番《でばん》だ」

真実《しんじつ》は、チカラの目《め》を見《み》つめたまま、静《しず》かに手《て》を離《はな》した。

「みなさん、見学《けんがく》は大歓迎《だいかんげい》だが少《すこ》し下《さ》がってもらいたい。意識《いしき》を集中《しゅうちゅう》したいからね」

チカラの指示《しじ》にしたがい、みんなは入《い》り口側《ぐちがわ》へ３メートルほど下《さ》がった。

「それでいい」

チカラは、水槽《すいそう》のまわりをグルリと歩《ある》くと、その正面《しょうめん》で足《あし》を止《と》めた。

真実《しんじつ》たちからは、チカラを真横《まよこ》から見《み》られる位置《いち》だ。

チカラはゆっくりと右手《みぎて》を伸《の》ばすと、手《て》のひらをガラスにピタリとつけた。

「どうだい？　タネもしかけもない、ただのガラス板《いた》だ」

そう言《い》いながら、首《くび》に巻《ま》いたスカーフを左手《ひだりて》でつかみ、ガラスの表面《ひょうめん》をそっとなでてみせる。

スカーフで、ガラスに押《お》し付《つ》けた右手《みぎて》が隠《かく》れた。

「それじゃあ、いくよ！」

チカラが大《おお》きく息《いき》を吸《す》い、全身《ぜんしん》に力《ちから》をこめた瞬間《しゅんかん》――。

ガシャ――ン！

鋭《するど》い金属音《きんぞくおん》が会場《かいじょう》に響《ひび》いた。

ハッと一同《いちどう》が音《おと》のしたほうを振《ふ》り向《む》くと、フレンドのひとりが、行列《ぎょうれつ》を整理《せいり》するポールを倒《たお》していた。

「ごめんなさい。足《あし》が引《ひ》っかかっちゃって……」

「心臓《しんぞう》が止《と》まるかと思《おも》った……！」

健太《けんた》はホーッと息《いき》を吐《は》くと、チカラに目《め》を戻《もど》した。

チカラの右手《みぎて》は、スカーフに隠《かく》れたままだ。

チカラはふたたび大《おお》きく息《いき》を吸《す》うと、全身《ぜんしん》に力《ちから》をこめた。

「**無限《むげん》の力《ちから》を、解《と》き放《はな》て！**」

すると――。

チャプン！

かすかに水《みず》のはねる音《おと》がした。

そして次《つぎ》の瞬間《しゅんかん》、水槽《すいそう》の中《なか》に、チカラの指先《ゆびさき》が現《あらわ》れたのだ。

「ああっ！　手《て》が水槽《すいそう》の中《なか》に!?」

健太《けんた》が、そして、水槽《すいそう》を見守《みまも》る一同《いちどう》が驚嘆《きょうたん》の声《こえ》をあげた。

信《しん》じられない光景《こうけい》だった。

チカラの右腕《みぎうで》は、ゆうゆうと泳《およ》ぐラブカの横《よこ》をすり抜《ぬ》け、水槽《すいそう》の奥《おく》へと伸《の》びていく。

「そんな……。いったい、どうなってるの!?」

健太《けんた》が横《よこ》を見《み》ると、真実《しんじつ》も、食《く》い入《い》るようにそのようすを見《み》つめている。

やがて、チカラの右手《みぎて》は海賊船《かいぞくせん》をつかんだ。

ザバッ！


勢《いきお》いよく水槽《すいそう》からその手《て》を引《ひ》き抜《ぬ》くと、そのままチカラは高々《たかだか》と頭上《ずじょう》に掲《かか》げた。

ポタポタと水《みず》がしたたり落《お》ちる右手《みぎて》の先《さき》には、しっかりと海賊船《かいぞくせん》が握《にぎ》られている。

「ホントにガラスを突《つ》き抜《ぬ》けちゃった……」

健太《けんた》がポカンと口《くち》をあけたままつぶやく。

「早《はや》く爆弾《ばくだん》のスイッチを止《と》めないと！」

あわててスタッフが駆《か》け寄《よ》り、海賊船《かいぞくせん》を手《て》に取《と》ると、真実《しんじつ》に渡《わた》した。

ピッ。真実《しんじつ》がスイッチを切《き》ると、船室《せんしつ》の奥《おく》で点滅《てんめつ》していた赤《あか》い光《ひかり》が消《き》えた。

「止《と》まった！　止《と》まったわ!!　残《のこ》り時間《じかん》あと30秒《びょう》……」

美希《みき》は、ヘナヘナとその場《ば》に座《すわ》りこんだ。

「残《のこ》り30秒《びょう》か。まあ、まずまずのできだったね」

チカラは、水槽《すいそう》のガラスを再《ふたた》びスカーフでなでてみせた。

腕《うで》を通《とお》す穴《あな》どころか、キズひとつついていない、ただのガラス板《いた》だった。

一同《いちどう》があぜんとして見《み》つめるなか、チカラは真実《しんじつ》に歩《あゆ》み寄《よ》った。

「どうだい？　これがボクの本当《ほんとう》の力《ちから》だよ」

その瞬間《しゅんかん》、フレンドたちから大《おお》きな歓声《かんせい》があがった。

「チ・カ・ラ！　チ・カ・ラ！」

あざ笑《わら》うかのように見下《みお》ろすチカラの瞳《ひとみ》を、真実《しんじつ》はじっと見《み》つめていた。


翌日《よくじつ》の放課後《ほうかご》。

花森小学校《はなもりしょうがっこう》の新聞部《しんぶんぶ》の部室《ぶしつ》で、美希《みき》と健太《けんた》はパソコンの画面《がめん》に見入《みい》っていた。

ネットニュースはラブカの水槽《すいそう》の爆弾騒《ばくだんさわ》ぎでもちきりだった。

『**海賊船《かいぞくせん》の爆弾《ばくだん》はニセモノだったらしい。ただのイタズラw**』

『**爆弾取《ばくだんと》り出《だ》したチカラくん。やっぱホンモノ！　超能力《ちょうのうりょく》サイコー!!**』

次々《つぎつぎ》とコメントがアップされていく。

「なによみんな、チカラ、チカラって！　あんなの絶対《ぜったい》インチキに決《き》まってるわ！」

「でも、どうやって!?　水槽《すいそう》のガラスも、どこにもあやしいところはなかったし……」

「ひとつ、気《き》になることがあるんだ」

窓辺《まどべ》で考《かんが》えごとをしていた真実《しんじつ》が、ふたりに声《こえ》をかけた。

「あのときの映像《えいぞう》がネットにアップされてるって言《い》ってたね。それを見《み》られるかな？」

「ええ。フレンドのひとりがこっそり撮影《さつえい》してたみたい。これよ」

美希《みき》がすばやくキーボードを操作《そうさ》すると、「奇跡《きせき》の超能力《ちょうのうりょく》！　壁抜《かべぬ》けで5千人《せんにん》の命《いのち》を救《すく》う！」と書《か》かれた映像《えいぞう》が画面《がめん》に現《あらわ》れた。

手《て》ぶれがひどく音《おと》もないが、真実《しんじつ》とチカラたちのようすが記録《きろく》されている。

映像《えいぞう》が進《すす》んでいき、チカラがガラスに向《む》かって意識《いしき》を集中《しゅうちゅう》している場面《ばめん》で、突然《とつぜん》、みんながうしろを振《ふ》り返《かえ》った。


「思《おも》ったとおりだ」

真実《しんじつ》は映像《えいぞう》を止《と》めた。

「このとき、突然大《とつぜんおお》きな音《おと》がして、みんなうしろを振《ふ》り向《む》いたんだ」

「確《たし》か、フレンドの人《ひと》がポールを倒《たお》したのよね」

「そう。でも、ここを見《み》て」

真実《しんじつ》が画面《がめん》を指《ゆび》さす。

みんながうしろを振《ふ》り向《む》いているなか、ただひとり、前《まえ》を向《む》いたままの人物《じんぶつ》がいた。

チカラである。

「チカラさんだけ、振《ふ》り向《む》いていないわ……」

「それが何《なに》か問題《もんだい》なの？」

「きっと、彼《かれ》は最初《さいしょ》から知《し》っていたんだ。このタイミングで音《おと》が鳴《な》ることをね。そう考《かんが》えるといろいろとつじつまが合《あ》う」

美希《みき》がハッと息《いき》をのむ。

「もしかして、爆弾騒《ばくだんさわ》ぎは全部《ぜんぶ》、チカラさんがしくんでたってこと!?」

「おそらくね。フレンドには事前《じぜん》に何《なん》らかの説明《せつめい》をしておいて大《おお》きな音《おと》を出《だ》させ、みんなの目《め》を水槽《すいそう》からそらした。そのあいだに、水槽《すいそう》のガラスに穴《あな》を開《あ》けたんだ」

「穴《あな》を開《あ》けたですって!?　あの短《みじか》いあいだにどうやって!?」

あわててパソコンの映像《えいぞう》に顔《かお》を近《ちか》づける美希《みき》。

よく見《み》ると、チカラは水槽《すいそう》の下《した》の台《だい》に手《て》を伸《の》ばしているようだった。

「それよりも、穴《あな》なんか開《あ》けたら、水槽《すいそう》から水《みず》があふれだしてきちゃうよ!?　そんなの無理《むり》だよ！」

健太《けんた》も真実《しんじつ》に反論《はんろん》する。

真実《しんじつ》は、人差《ひとさ》し指《ゆび》で眼鏡《めがね》をクイッと持《も》ち上《あ》げた。

「いいや。水槽《すいそう》に穴《あな》を開《あ》けても水《みず》があふれだすことはない。ある力《ちから》を利用《りよう》すればね」

眼鏡《めがね》の奥《おく》で真実《しんじつ》の瞳《ひとみ》がキラリと光《ひか》った。

はたして、水槽《すいそう》から水《みず》があふれないように利用《りよう》した力《ちから》とは、いったい何《なん》なのか？

穴《あな》の外側《そとがわ》から
水《みず》を押《お》す力《ちから》があれば、
水《みず》はあふれないはずだ。

解《かい》決《けつ》編《へん》

その日《ひ》の夜《よる》。

キイイ〜

ぶきみな音《おと》が、古《ふる》い倉《そう》庫《こ》の中《なか》に響《ひび》いた。

さびだらけの鉄《てつ》のとびらを開《あ》けて顔《かお》を出《だ》したのは……真《しん》実《じつ》、健《けん》太《た》、美《み》希《き》の３人《にん》だ。

「ホントにここに、あのときの水槽《すいそう》があるの？」

「ああ。間違《まちが》いない」

ナゾを解《と》く鍵《かぎ》は、水槽《すいそう》に

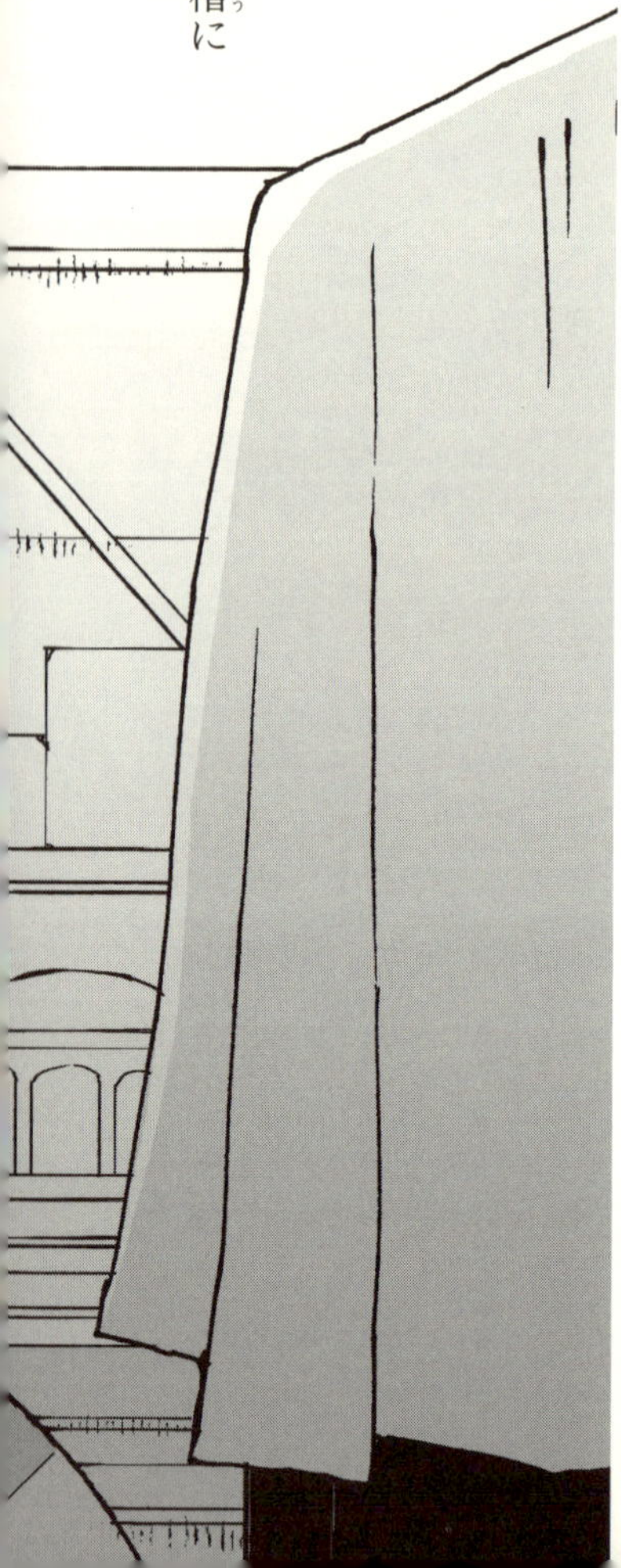

ある。

そう考《かんが》えた真実《しんじつ》たちは、この日《ひ》の放課後《ほうかご》、ふたたびショッピングモールを訪《おとず》れた。

しかし、「古代魚展《こだいぎょてん》」は中止《ちゅうし》になり、水槽《すいそう》はイベント会社《がいしゃ》がこの倉庫《そうこ》に持《も》ち帰《かえ》ったという。

真《ま》っ暗《くら》な倉庫《そうこ》に潜入《せんにゅう》した３人《にん》は、真実《しんじつ》のペンライトの光《ひかり》を頼《たよ》りに進《すす》んだ。

「真実《しんじつ》くん。あれ……！」

倉庫《そうこ》のいちばん奥《おく》に、布《ぬの》がかけられて隠《かく》すように置《お》かれた大《おお》きな四角《しかく》い箱《はこ》があった。

箱《はこ》に近《ちか》づいた真実《しんじつ》が、静《しず》かに布《ぬの》をはずす。

現《あらわ》れたのは、黒《くろ》い台《だい》にのせられ、ガラスの上《うえ》が鉄板《てっぱん》で覆《おお》われた、あの水槽《すいそう》だった。

水《みず》もラブカもすでに入《はい》っておらず、空《から》の状態《じょうたい》だ。

水槽《すいそう》のガラスをまじまじと見《み》つめ、健太《けんた》が言《い》う。

「やっぱり、どこにも穴《あな》なんか開《あ》いてないけど……」

「それをこれから探《さが》すのさ」

真実《しんじつ》は、水槽《すいそう》の下《した》の台《だい》をライトで照《て》らして調《しら》べはじめた。

「ネットにアップされた動画《どうが》では、みんなが振《ふ》り向《む》いたとき、彼《かれ》は、このあたりに手《て》を伸《の》ばしていた……」

ガラスと台《だい》のつなぎ目《め》には、多数《たすう》のボルトが並《なら》んでいる。

よく見《み》ると、そのなかのひとつだけが少《すこ》し色《いろ》が違《ちが》う。

「あったよ。きっとこれがスイッチだ」

真実《しんじつ》はボルトに指《ゆび》をかけ、カチリと押《お》した。

すると、

ウイイイン……

かすかな音《おと》をたてて、ガラスが上《うえ》へスライドしはじめた。

「あっ！　ガラスが動《うご》いた！」

健太《けんた》が驚《おどろ》きの声《こえ》をあげる。

やがて、下《した》から、奇妙《きみょう》なものが姿《すがた》を現《あらわ》した。

ガラス板《いた》にとりつけられた、小《ち》さくて四角《しかく》い「とびら」のようだ。

「思《おも》ったとおりだ」

真実《しんじつ》は、「とびら」の上部《じょうぶ》に手《て》をかけ、手前《てまえ》に引《ひ》いた。

「とびら」は、ガラス製《せい》の小《ちい》さな引《ひ》き出《だ》しになっていて、音《おと》もなく手前《てまえ》にスライドした。

「机《つくえ》の引《ひ》き出《だ》しみたい」

美希《みき》がつぶやく。

「いいや、ただの引《ひ》き出《だ》しじゃない」

真実《しんじつ》はそう言《い》うと、引《ひ》き出《だ》しに手《て》を入《い》れた。

右腕《みぎうで》が、水槽《すいそう》の中《なか》にスルリと入《はい》っていく。

「あっ！　引《ひ》き出《だ》しの形《かたち》をした『穴《あな》』だったのか！」

健太《けんた》が言《い》うと、真実《しんじつ》はうなずいた。

「そう。彼《かれ》は、この『穴《あな》』に腕《うで》を通《とお》して、水槽《すいそう》の中《なか》に手《て》を伸《の》ばしていたんだ」

「でも、水《みず》が入《はい》った水槽《すいそう》の『引《ひ》き出《だ》し』を開《あ》けたら、中《なか》から水《みず》があふれてきちゃうよ！」

健太《けんた》はどうも納得《なっとく》がいかないようすだ。

「健太《けんた》くんの言《い》うとおりだ。だけど、ある力《ちから》を利用《りよう》すれば、水《みず》はあふれない」

「ある力《ちから》……？」

真実《しんじつ》は水槽《すいそう》を指《ゆび》さすと言葉《ことば》を続《つづ》けた。

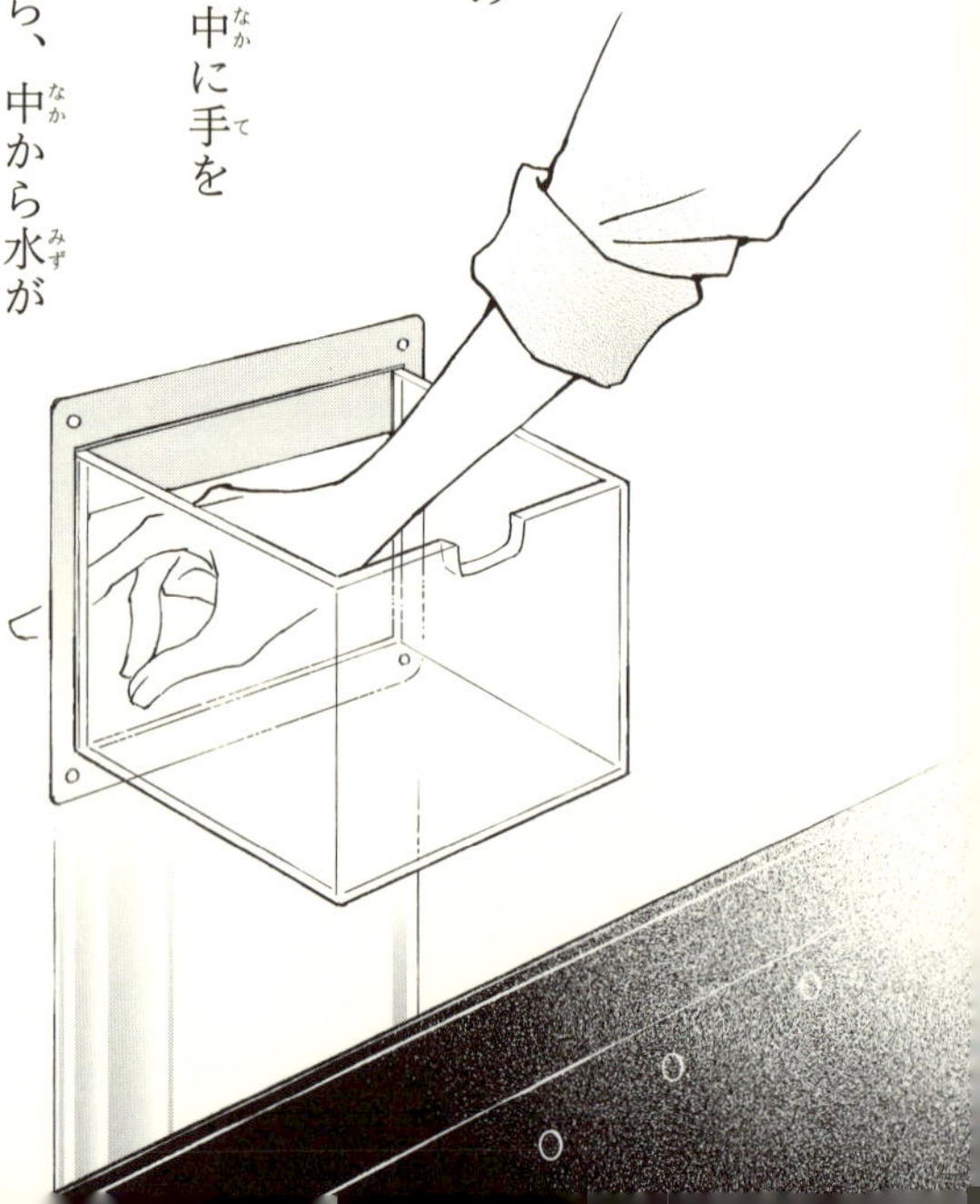

水槽《すいそう》のしくみ

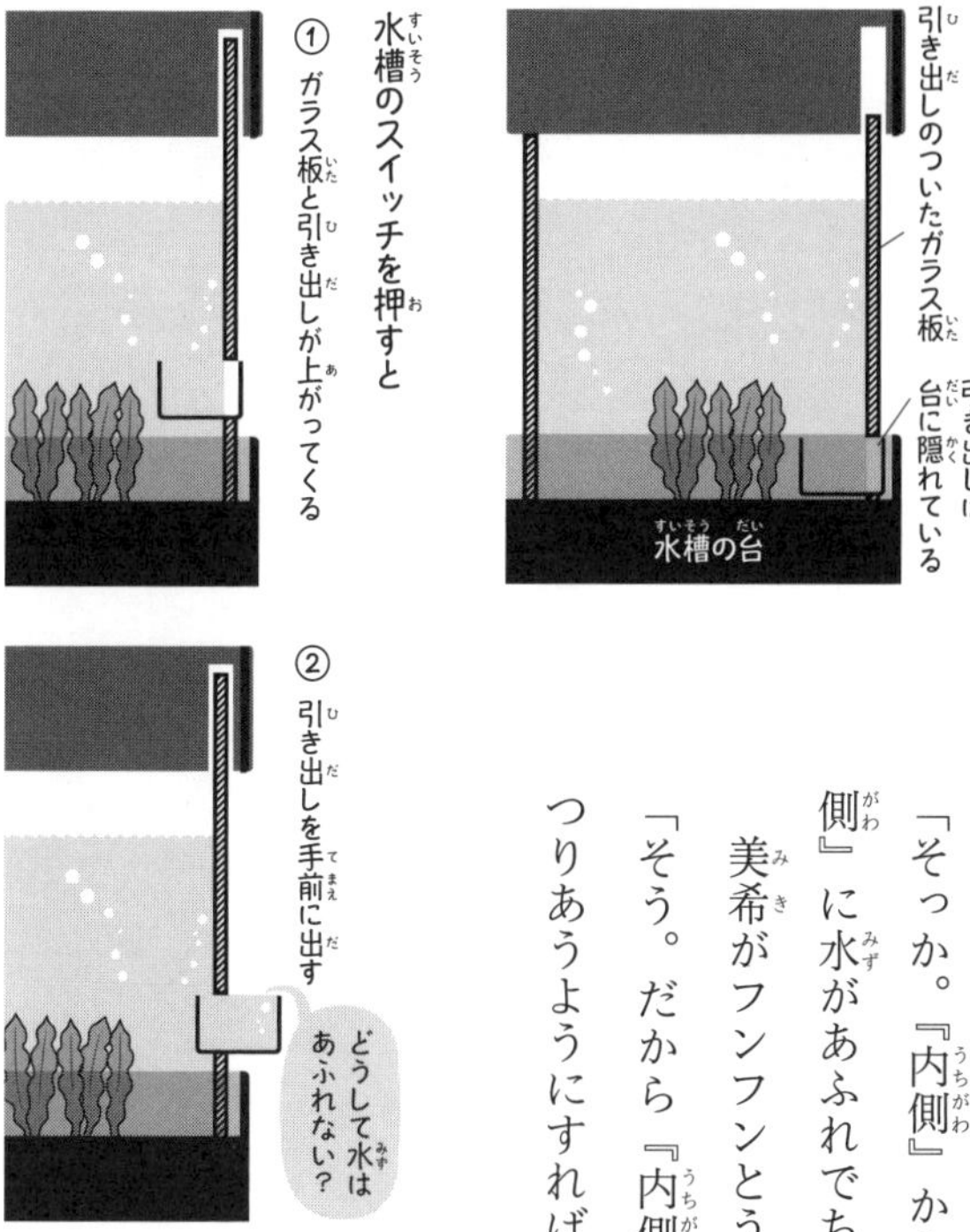

引《ひ》き出《だ》しのついたガラス板《いた》
引《ひ》き出《だ》しは台《だい》に隠《かく》れている
水槽《すいそう》の台《だい》
水槽《すいそう》のスイッチを押《お》すと
① ガラス板《いた》と引《ひ》き出《だ》しが上《あ》がってくる
② 引《ひ》き出《だ》しを手前《てまえ》に出《だ》す
どうして水《みず》はあふれない？

「水槽《すいそう》の『内側《うちがわ》』には、中《なか》の気体《きたい》の圧力《あつりょく》（気圧《きあつ》）と水《みず》の圧《あつ》力《りょく》、ふたつの力《ちから》がかかっている。それに対《たい》して、水槽《すいそう》の『外側《そとがわ》』にかかる力《ちから》は、気圧《きあつ》ひとつだけだ」

「そっか。『内側《うちがわ》』から水《みず》を押《お》す力《ちから》のほうが強《つよ》いから、『外《そと》側《がわ》』に水《みず》があふれでちゃうのね」

美希《みき》がフンフンとうなずく。

「そう。だから『内側《うちがわ》』の力《ちから》を弱《よわ》くして、『外側《そとがわ》』の力《ちから》とつりあうようにすればいい。そうすれば力《ちから》のバランスが取《と》れて、引《ひ》き出《だ》しを開《あ》けても水《みず》があふれなくなる」

「でも、水槽《すいそう》の『内側《うちがわ》』の力《ちから》を弱《よわ》くするなんて、いったいどうすればいいの？……あっ！」

水槽《すいそう》の空気《くうき》を抜《ぬ》くと……

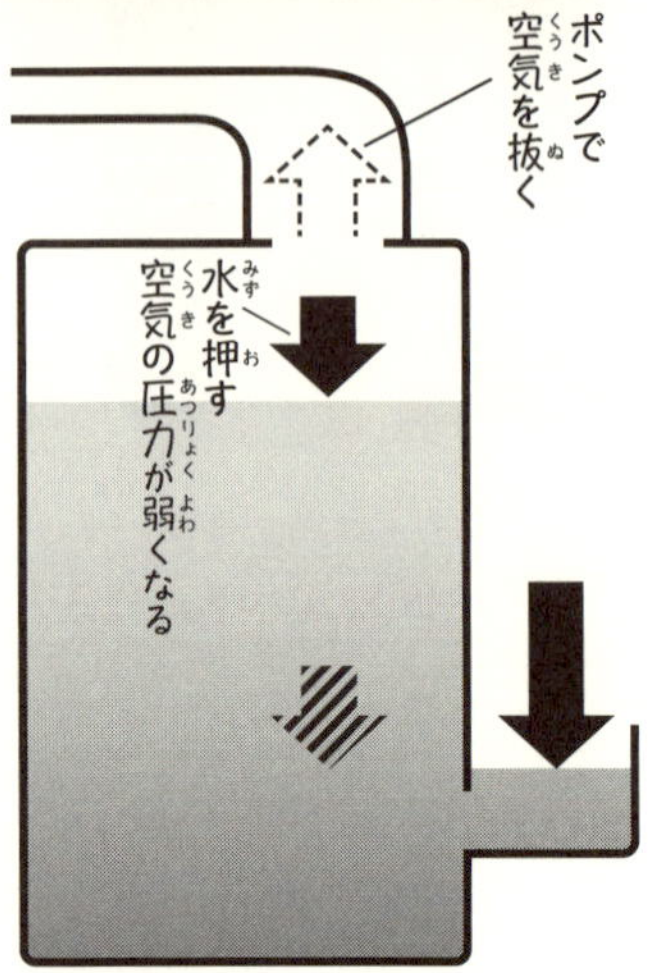
ポンプで空気《くうき》を抜《ぬ》く
水《みず》を押《お》す空気《くうき》の圧力《あつりょく》が弱《よわ》くなる

水《みず》の圧力分《あつりょくぶん》だけ水槽《すいそう》の空気《くうき》を抜《ぬ》き、圧力《あつりょく》を弱《よわ》くすると両方《りょうほう》の力《ちから》はつりあって、水《みず》は出《で》ない

ふたつの力《ちから》を比《くら》べると

外側《そとがわ》の力《ちから》と内側《うちがわ》の力《ちから》は同《おな》じ

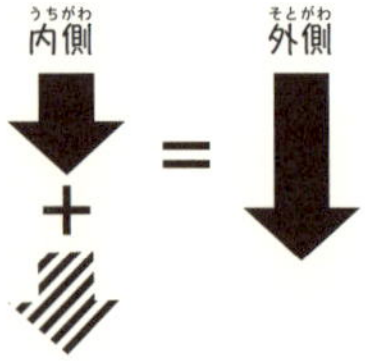
内側《うちがわ》
外側《そとがわ》
=
+

何《なに》もしないと……

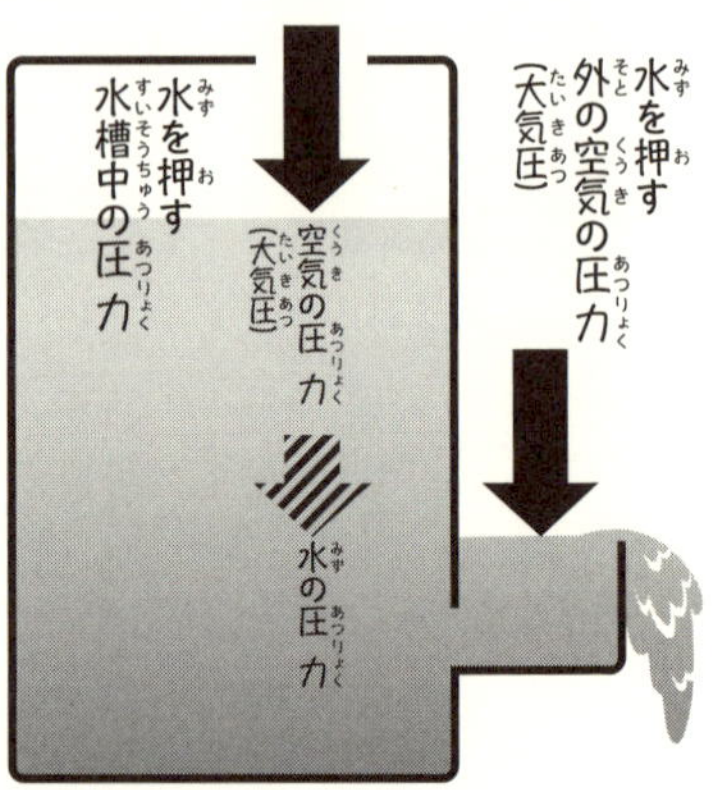
水《みず》を押《お》す水槽中《すいそうちゅう》の圧力《あつりょく》
空気《くうき》の圧力《あつりょく》(大気圧《たいきあつ》)
水《みず》の圧力《あつりょく》
水《みず》を押《お》す外《そと》の空気《くうき》の圧力《あつりょく》(大気圧《たいきあつ》)

水《みず》の圧力分《あつりょくぶん》だけ内側《うちがわ》の力《ちから》が強《つよ》くなり、水《みず》が外側《そとがわ》にあふれる。

ふたつの力《ちから》を比《くら》べると

外側《そとがわ》の力《ちから》より内側《うちがわ》の力《ちから》のほうが強《つよ》い

内側《うちがわ》
外側《そとがわ》
>
+

健太《けんた》の目《め》がキラリと輝《かがや》いた。

「空気《くうき》の力《ちから》！　ドラム缶《かん》がつぶれたときと一緒《いっしょ》だね！　水槽《すいそう》の中《なか》の空気《くうき》を、ポンプで外《そと》に出《だ》しちゃえばいいんだ！」

「そのとおり。水槽《すいそう》の『内側《うちがわ》』の空気《くうき》を減《へ》らせば、気圧《きあつ》が弱《よわ》くなる」

真実《しんじつ》は大《おお》きくうなずくと、水槽《すいそう》の上《うえ》の部分《ぶぶん》を指《ゆび》さした。

「あの鉄板《てっぱん》に隠《かく》れて見《み》えない部分《ぶぶん》には、ポンプがしこまれていて、それで水槽《すいそう》の中《なか》の空気《くうき》を抜《ぬ》いていたんだろう。だから引《ひ》き出《だ》しを開《あ》けても、水《みず》が外《そと》にあふれなかったんだよ」

「そうだったのか！」

「みんなが大《おお》きな音《おと》に振《ふ》り向《む》いてるあいだにスイッチを押《お》して、その引《ひ》き出《だ》しを準備《じゅんび》してたのね」

「ああ。みんなから引《ひ》き出《だ》しが見《み》えないよう、スカーフで隠《かく》してね。そうして水槽《すいそう》から海賊船《かいぞくせん》を取《と》り出《だ》すと、今度《こんど》は、みんなが爆弾《ばくだん》に注目《ちゅうもく》しているあいだに、もとのガラスに戻《もど》したのさ」

水圧《すいあつ》
水《みず》の重《おも》さによって押《お》される力《ちから》。10メートル深《ふか》くなるごとに、約《やく》１気《き》圧《あつ》増《ふ》える。
※「水圧《すいあつ》」は通常《つうじょう》、大《たい》気圧《きあつ》を含《ふく》む圧力《あつりょく》をいうので、本文中《ほんぶんちゅう》では水圧《すいあつ》といわず、「水《みず》の圧力《あつりょく》」としている。

「なんてズル賢《がしこ》いやつなの」

思《おも》わず美希《みき》がつぶやいたとき、天井《てんじょう》の明《あ》かりがつき、倉庫内《そうこない》に拍手《はくしゅ》が鳴《な》り響《ひび》いた。

「ブラーヴォ！　ブラーヴォ！　みごとな推理《すいり》だよ、真実《しんじつ》くん」

まぶしさに目《め》を細《ほそ》めた3人《にん》が振《ふ》り向《む》くと、そこにはチカラの姿《すがた》があった。

「どうしてここに!?」

驚《おどろ》いて健太《けんた》が声《こえ》をあげる。

「それはこっちのセリフさ。ここは、ボクのおじさんの会社《かいしゃ》でね。ドロボウ猫《ねこ》が入《はい》ったと連《れん》絡《らく》があったから、見《み》にきてみたのさ」

「トリックは見破《みやぶ》ったわよ！　これでもまだ自分《じぶん》は超能力者《ちょうのうりょくしゃ》だなんて言《い》い張《は》る気《き》!?」

美希《みき》が水槽《すいそう》を指《ゆび》さして言《い》う。

チカラは、やれやれと溜《た》め息《いき》をつく。

「この水槽《すいそう》が、あのときのものだってどうして言《い》えるんだい？」

「誰《だれ》が見《み》たって同《おな》じ水槽《すいそう》じゃない！」

「どのみち手遅《ておく》れだよ。すでに多《おお》くの人《ひと》がボクの超能力《ちょうのうりょく》を信《しん》じている。いいかい？　世間《せけん》の人《ひと》が求《もと》めているのは、現実《げんじつ》を忘《わす》れさせてくれる、はなやかな夢《ゆめ》なんだ。つまらない理《り》屈《くつ》なんて聞《き》きたくないのさ。キミたちが今《いま》さら何《なに》を言《い》っても誰《だれ》も耳《みみ》を貸《か》さないよ」

そう言《い》うと、チカラは不敵《ふてき》に笑《わら》った。

「真実《しんじつ》くん。これからも、ボクの超能力《ちょうのうりょく》を証明《しょうめい》する、よきパートナーでいてくれよ」

笑《わら》い声《ごえ》が響《ひび》く倉庫《そうこ》の中《なか》で、真実《しんじつ》は、じっとチカラを見《み》つめていた。

2

SCIENCE TRICK DATA FILE

科学《かがく》トリック データファイル

「ふれあい水槽《すいそう》」をつくろう

横《よこ》に穴《あな》が開《あ》いていて、そこから手《て》を入《い》れることができる水槽《すいそう》を「ふれあい水槽《すいそう》」と呼《よ》びます。この水槽《すいそう》のしくみを、身近《みぢか》な道具《どうぐ》でつくって実験《じっけん》することができます。

【実験《じっけん》してみよう】

用意《ようい》するもの：ペットボトル（2リットルのもの）、ホットボンドのスティック、カッターナイフ、たらいなど

A. 実際《じっさい》に体験《たいけん》できる水族館《すいぞくかん》もあるよ

※ここで紹介《しょうかい》した実験《じっけん》は、おうちの人《ひと》と一緒《いっしょ》にやりましょう。カッターナイフの刃《は》や、ペットボトルの切《き》り口《くち》でけがをしないよう、気《き》をつけてね。

①

ペットボトルの底《そこ》から5cm程度《ていど》の場所《ばしょ》に、カッターナイフで横《よこ》に切《き》り込《こ》みを入《い》れる。

②

切《き》り込《こ》みの上《うえ》の部分《ぶぶん》をへこませ、ホットボンドのスティックを、つっかい棒《ぼう》にする。

※ホットボンドのスティックは、100円《えん》ショップなどで手《て》に入《はい》る。

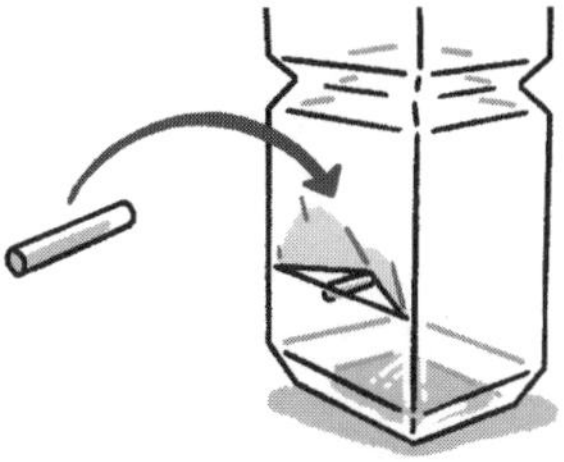

③

ペットボトル全体《ぜんたい》を水《みず》の中《なか》につけて、水《みず》で満《み》たし、そのままふたを閉《し》めれば、できあがり。穴《あな》が開《あ》いていても、水《みず》はこぼれないよ。

金魚《きんぎょ》と水草《みずくさ》を入《い》れ、ここからエサをやることもできるよ！

参考：滝川洋二・吉村利明編著
『ガリレオ工房の身近な道具で大実験　第３集』（大月書店）

超能力少年《ちょうのうりょくしょうねん》3

透視《とうし》と念写《ねんしゃ》

「ねね、チカラくんの最新動画見《さいしんどうがみ》た?」

「見《み》た見《み》た! 人形《にんぎょう》を宙《ちゅう》に浮《う》かせるやつだろ? あれ、スゲーよな」

放課後《ほうかご》の教室《きょうしつ》。何人《なんにん》かのクラスメートが集《あつ》まって騒《さわ》いでいる。

「カッコいい〜! ぼくもフレンドになろっかな〜!」

「フレンドになると、あの黒《くろ》いT《ティー》シャツが着《き》られるんだよね?」

「修行《しゅぎょう》をすれば、誰《だれ》でも超能力者《ちょうのうりょくしゃ》になれるって、ホントかな〜?」

クラスメートたちの話題《わだい》は、チカラのことでもちきりだった。

「あの、でもさ、チカラさんの水槽《すいそう》の〝壁抜《かべぬ》け〟はトリックだって、この前《まえ》、真実《しんじつ》くんが見《み》破《やぶ》ったんだよ」

一同《いちどう》の話《はなし》を黙《だま》って聞《き》いていた健太《けんた》は、たまらず口《くち》をはさんだ。

しかし、みんなは「だから何《なに》?」という冷《ひ》ややかな表情《ひょうじょう》で健太《けんた》を見返《みかえ》す。

「科学《かがく》でたまたま説明《せつめい》できたからって、チカラくんの超能力《ちょうのうりょく》を否定《ひてい》することにはならないだろ?」

「そうそう。この世《よ》には科学《かがく》で解《と》けないナゾもあるんだよね〜」

クラスメートたちはそう言《い》うと、わらわらと教室《きょうしつ》を出《で》ていく。

（みんな、このあいだまで真実《しんじつ》くんのことをもてはやしていたのに……）

健太《けんた》はいたたまれない気持《きも》ちになって、教室《きょうしつ》の片隅《かたすみ》で本《ほん》を読《よ》んでいる真実《しんじつ》に目《め》をやった。

タイトルは、『人工知能《じんこうちのう》システム』とあった。

（真実《しんじつ》くん、平気《へいき》そうな顔《かお》してるけど、ホントのところはどうなんだろう？　きっと心《こころ》の中《なか》では傷《きず》ついていているよね）

健太《けんた》は、なんとかして真実《しんじつ》の力《ちから》になりたいと思《おも》った。

「たいへん！　たいへんよ！」

そのとき、となりのクラスの美希《みき》が、教室《きょうしつ》に駆《か》け込《こ》んでくる。

「蝶野力《ちょうのちから》が自宅《じたく》のサロンで、『未来予知相談《みらいよちそうだん》』を始《はじ》めたらしいの！」

「未来予知相談《みらいよちそうだん》？　何《なに》それ？」

「まあ、一種《いっしゅ》の占《うらな》い……かしら？　でも、ただの占《うらな》いじゃないらしいの。チカラさんは封筒《ふうとう》に入《はい》った相談者《そうだんしゃ》の悩《なや》みを、開封《かいふう》せずに〝透視《とうし》〟で言《い》い当《あ》てて、相談《そうだん》に答《こた》えるんだって」

「透視《とうし》!?」

「わざわざ封筒《ふうとう》に入《い》れさせて中身《なかみ》を言《い》い当《あ》てるなんて、いかにもあやしいわよね？　ねえ、真実《しんじつ》くん、健太《けんた》くん、やつのトリックを見破《みやぶ》って、鼻《はな》をあかしてやりましょうよ！」

「うん、そうだね！」

健太《けんた》はすぐさまうなずいたが、真実《しんじつ》は「今日《きょう》はやめておくよ」と答《こた》え、帰《かえ》りじたくを始《はじ》めた。

「実《じつ》は、ちょっと調《しら》べたいことがあるんだ」

真実《しんじつ》はそれだけ言《い》うと、教室《きょうしつ》を出《で》ていく。

その姿《すがた》を見送《みおく》って、美希《みき》は健太《けんた》に言《い》った。

「真実《しんじつ》くん、ハマセンの部屋《へや》の間取《まど》りを当《あ》てたナゾをずっと調《しら》べてるみたいね」

「……やっぱりこの前《まえ》、テレビで負《ま》けたことを気《き》にしているのかなあ」

「こうなったら健太《けんた》くん、わたしたちふたりでチカラさんのもとへ乗《の》り込《こ》みましょうよ！　真実《しんじつ》くんの名誉《めいよ》を回復《かいふく》するためにも、真相《しんそう》を探《さぐ》るのよ！」

美希《みき》に言《い》われ、健太《けんた》はちょっぴり不安《ふあん》ながらも、「よしっ！」とこぶしを握《にぎ》りしめた。

チカラの家《いえ》は、となり町《まち》の郊外《こうがい》に立《た》つ大豪邸《だいごうてい》だった。

アゲハチョウが舞《ま》う広大《こうだい》な庭《にわ》を通《とお》り抜《ぬ》けると、玄関《げんかん》のとびらにたどり着《つ》く。

まるでヨーロッパの貴族《きぞく》の邸宅《ていたく》のようなその外観《がいかん》に、健太《けんた》と美希《みき》は圧倒《あっとう》された。

こわごわ呼《よ》び鈴《りん》を鳴《な》らすと、家《いえ》の中《なか》から、ピラミッド模様《もよう》に「力」の文字《もじ》があしらわれた、黒《くろ》いフレンドT《ティー》シャツを着《き》た少年《しょうねん》が姿《すがた》を現《あらわ》した。

「キミたちも、チカラさんに未来《みらい》を教《おし》えてもらいたいの？　だったらこの紙《かみ》に相談《そうだん》したい内《ない》容《よう》を書《か》いて、封筒《ふうとう》に入《い》れて封《ふう》をしてくれる？」

少年《しょうねん》は、健太《けんた》と美希《みき》に白《しろ》い紙《かみ》と封筒《ふうとう》とサインペンを差《さ》し出《だ》した。

「見《み》たところ、タネもしかけもない、ふつうの紙《かみ》と封筒《ふうとう》とペンみたいね」

「うん。中《なか》が透《す》けて見《み》えたりもしないしね」

渡《わた》されたものをじっくりと調《しら》べて、美希《みき》と健太《けんた》はささやき合《あ》う。ふたりはそれぞれの悩《なや》みごとを紙《かみ》に書《か》いて封筒《ふうとう》に入《い》れ、これでもか！というくらい、しっかりと封《ふう》をした。

「チカラさんは、地下室《ちかしつ》にいるよ」

少年《しょうねん》はふたりを地下《ちか》へと続《つづ》く階段《かいだん》に案内《あんない》した。

ふたりはおそるおそる地下室《ちかしつ》への階段《かいだん》を下《お》りていく。

地下室《ちかしつ》のとびらを開《あ》けた瞬間《しゅんかん》、健太《けんた》と美希《みき》は、思《おも》わず「うわあ！」と感《かん》嘆《たん》の声《こえ》を上《あ》げた。

そこは温室《おんしつ》のような部屋《へや》で、窓《まど》はないが、人工《じんこう》の光《ひかり》で昼間《ひるま》のように明《あか》るい。

広《ひろ》さは小《ちい》さなホールぐらいあり、中央《ちゅうおう》にはガゼボが、その奥《おく》には滝《たき》が流《なが》れ落《お》ちる壁《かべ》があり、滝《たき》の両側《りょうがわ》には、絵《え》がかざられている。

そして、床一面《ゆかいちめん》、色《いろ》とりどりの美《うつく》しい花々《はなばな》が咲《さ》き乱《みだ》れていた。

「ようこそ、ボクのサロンへ！　キミたちは謎野真実《なぞのしんじつ》くんのお友達《ともだち》、健太《けんた》くんと美希《みき》ちゃんだね？」

チカラはふたりを手招《てまね》きし、ガゼボに置《お》かれた椅子《いす》に座《すわ》らせた。

そして、１本《ぽん》の筒《つつ》を取《と》り出《だ》す。

「これはタネもしかけもない、ただの筒《つつ》だ。念《ねん》のために、調《しら》べてみるかい？」

ガゼボ
洋風《ようふう》の庭《にわ》などにある、柱《はしら》と屋根《やね》でできた壁《かべ》のない休息所《きゅうそくじょ》。

チカラに渡《わた》された紙製《かみせい》の筒《つつ》を、健太《けんた》と美希《みき》はじっくりと見《み》て、つぶやいた。

「これって、もしかして……」

「そう。トイレットペーパーの芯《しん》だよ。しかし、ボクが念力《ねんりき》をこめれば、何《なん》でも〝透《と》視《し》〟できる魔《ま》法《ほう》の筒《つつ》に変《か》わるんだ。……見《み》ててごらん」

チカラはそう言《い》うと、ピラミッドマークの指輪《ゆびわ》をはめた左手《ひだりて》を筒《つつ》の前《まえ》に突《つ》き出《だ》す。

「無《む》限《げん》の力《ちから》を、解《と》き放《はな》て！」

そう言《い》って念《ねん》をこめるチカラ。

「これでよし。この筒《つつ》は、〝透視《とうし》〟のできる魔《ま》法《ほう》の筒《つつ》になったよ。キミたちの持《も》っている、その封筒《ふうとう》を貸《か》してごらん」

健太《けんた》と美希《みき》が封筒《ふうとう》を渡《わた》すと、チカラは筒《つつ》の先《さき》を封筒《ふうとう》の表面《ひょうめん》に押《お》し当《あ》てて、筒《つつ》の穴《あな》をのぞき込《こ》んだ。

「……なるほど、見《み》えたよ。健太《けんた》くん、キミの悩《なや》みは、スマホを買《か》ってもらえないことだね？」

「えっ、どうしてわかったの⁉」

「キミは、友達《ともだち》がスマホを持《も》っているのを見《み》て、自分《じぶん》もほしくなった」

「そ……そのとおりだけど」

「そして、お母《かあ》さんに頼《たの》んでみたけど、まだ早《はや》いって断《ことわ》られた……」

「すごい、ぜんぶ当《あ》たってる！」

「だいじょうぶ。いずれキミは、スマホを

持《も》つことができるよ」

「わーい、やった〜！」

「次《つぎ》に美希《みき》ちゃん、キミの悩《なや》みは『最近《さいきん》、スクープが取《と》れない』こと」

チカラに悩《なや》みを言《い》い当《あ》てられ、身構《みがま》えていた美希《みき》も思《おも》わず「えっ!?」と、目《め》を見開《みひら》く。

「なるほど。キミはスクープを取《と》るために、ここへ来《き》たんだね。……いいだろう。美希《みき》ちゃん、ボクがとっておきのスクープを提供《ていきょう》してあげるよ」

チカラの言葉《ことば》に、美希《みき》は引《ひ》き込《こ》まれた。


サロンの奥《おく》、壁《かべ》を流《なが》れ落《お》ちる滝《たき》の右側《みぎがわ》には、花々《はなばな》が描《えが》かれた絵《え》がかざられている。

そして、滝《たき》の左側《ひだりがわ》には、湖《みずうみ》のほとりに立《た》つお城《しろ》の絵《え》がかざられていた。

どちらも水彩画《すいさいが》のような淡《あわ》い色彩《しきさい》の美《うつく》しい絵《え》だが、一部《いちぶ》が空白《くうはく》になっていて、どこか殺風《さっぷう》景《けい》な印象《いんしょう》を受《う》ける。

チカラは、そのうちの一枚《いちまい》——右側《みぎがわ》にある花々《はなばな》の絵《え》を指《ゆび》さした。

「この絵《え》をもっと美《うつく》しくするために、ボクは今《いま》から、あるものを〝念写《ねんしゃ》〟する」

「〝念写《ねんしゃ》〟⁉」

驚《おどろ》く健太《けんた》と美希《みき》。

「ボクは、名前《なまえ》が『蝶野《ちょうの》』なだけに、チョウが大好《だいす》きでね」

チカラはそう言《い》うと、壁《かべ》の絵《え》に向《む》かって左手《ひだりて》を突《つ》き出《だ》し、手《て》のひらをかざす。

「無限《むげん》の力《ちから》を、解《と》き放《はな》て！」

すると……どういうことだろう！

絵《え》の中《なか》に、花々《はなばな》のまわりを舞《ま》う7羽《わ》のアゲハチョウが現《あらわ》れたのだった。

「すごい！　チカラさん、それ、どうやったの⁉」

健太《けんた》は、目《め》を丸《まる》くしながら尋《たず》ねる。

「どうやったもこうやったもない。超能力《ちょうのうりょく》さ。しかも、これはただの〝念《ねん》

念写《ねんしゃ》
心《こころ》に念《ねん》じたものを、写真《しゃしん》のフィルムに画像《がぞう》として焼《や》き付《つ》ける超能力《ちょうのうりょく》。ここでは、フィルムにではなく、絵《え》に念《ねん》じたものを浮《う》かびあがらせることを指《さ》している。

写《しゃ》〟じゃない。ボクは生《い》きた本物《ほんもの》のチョウを絵《え》の中《なか》に閉《と》じ込《こ》めたんだ」

「まさか……。そんなことできるわけないじゃない」

半信半疑《はんしんはんぎ》な美希《みき》の横《よこ》で、健太《けんた》はオロオロしながら尋《たず》ねる。

「あの、もしかして、そのチョウは……さっき庭《にわ》にいたアゲハチョウ？」

「そのとおりだよ」

「そんな……絵《え》の中《なか》に閉《と》じ込《こ》めたりしたら、チョウがかわいそうだよ」

「はは、健太《けんた》くん、キミってやさしいんだね。……わかった。キミがそう言《い》うなら、このチョウたちを解放《かいほう》してあげよう」

チカラは絵《え》に手《て》をかざし、ふたたび念《ねん》をこめる。

すると、チョウたちの姿《すがた》はスーッと、絵《え》の中《なか》から消《き》えていった。

次《つぎ》の瞬間《しゅんかん》、サロンの中《なか》を本物《ほんもの》のチョウたちが舞《ま》いはじめる。

「アゲハチョウだ！」

「まさか……絵《え》の中《なか》から解放《かいほう》されたの!?」

「まあ、ボクの超能力《ちょうのうりょく》はざっとこんなもんさ。この力《ちから》を科学《かがく》で解《と》き明《あ》かそうなどというムダなことはやめたほうがいい。ボクがその気《き》になれば、キミたちのひとりやふたり、この世《よ》から簡単《かんたん》に消《け》せるんだから。……ね、美希《みき》ちゃん、すごいスクープだろ？」

チカラの言葉《ことば》に、健太《けんた》はゾッとして震《ふる》えあがり、美希《みき》もぼう然《ぜん》としていた。

週《しゅう》が明《あ》けた月曜日《げつようび》。

登校中《とうこうちゅう》の健太《けんた》に、美希《みき》のクラスメートの田中《たなか》ゆっこが話《はな》しかけてきた。

「あのさ、宮下《みやした》くん。美希《みき》は、チカラくんのフレンドになっちゃったの？」

「え!?　どういうこと？」

「だって、ほら……」

ゆっこは、持《も》ち込《こ》みが禁止《きんし》されているスマホをこっそり取《と》り出《だ》し、その画面《がめん》を健太《けんた》に見《み》せた。そこには、チカラの最新動画《さいしんどうが》が映《うつ》っている。

「みんなには無限《むげん》の力《ちから》がある。勉強《べんきょう》やスポーツだけがすべてじゃない。さあ、今《いま》こそ目覚《めざ》めるときだ！　心《こころ》の目《め》を開《ひら》いて、退屈《たいくつ》な日常《にちじょう》から飛《と》び出《だ》そう！」

カメラに向《む》かって呼《よ》びかけているチカラの背後《はいご》には、おそろいの黒《くろ》いT《ティー》シャツを着《き》たフレンドたちの姿《すがた》が映《うつ》っている。その中《なか》に、美希《みき》の姿《すがた》もあった。

「そんな……！」

健太《けんた》はショックを受《う》ける。

「真実《しんじつ》くんのために、真相《しんそう》を探《さぐ》るって、美希《みき》ちゃん言《い》ってたのに……」

「まさか、あの美希《みき》が謎野《なぞの》くんを裏切《うらぎ》るなんて……」

真実《しんじつ》に片思《かたおも》いしているゆっこも、ショックを隠《かく》せないようすだった。

「真実《しんじつ》くん！　ぼくは、何《なに》があっても真実《しんじつ》くんの味方《みかた》だからね！」

登校《とうこう》した健太《けんた》は、真実《しんじつ》の前《まえ》で息巻《いきま》く。

「いきなり、どうしたんだい？」

驚《おどろ》く真実《しんじつ》を前《まえ》に、「え？　あ、いや……」と健太《けんた》は言葉《ことば》をつまらせた。

(美希《みき》ちゃんがフレンドになったなんて、真実《しんじつ》くんにはとても言《い》えないよ……)

「ぼくは、何《なに》があっても真実《しんじつ》くんの味方《みかた》だよ。でも……チカラさんの超能力《ちょうのうりょく》はホンモノかもしれない」

美希《みき》のことは伏《ふ》せながら、健太《けんた》はチカラのサロンで、封筒《ふうとう》の〝透視《とうし》〟や、チョウの〝念写《ねんしゃ》〟を見《み》せられたことを話《はな》した。

すると、真実《しんじつ》は笑《わら》いながら言《い》った。

「すべてトリックさ。まず〝透視《とうし》〟のことだけど、トイレットペーパーの芯《しん》のような筒状《つつじょう》のものを通《とお》して封筒《ふうとう》を見《み》れば、誰《だれ》だって中《なか》を見《み》ることができるんだ」

「え!?」

「封筒《ふうとう》の中《なか》の文字《もじ》は、わずかに透《す》けて見《み》えていても、封筒《ふうとう》の表面《ひょうめん》で反射《はんしゃ》した光《ひかり》にじゃまされて見《み》えにくくなっている。しかし、筒《つつ》で反《はん》射光《しゃこう》をさえぎると、じゃまな光《ひかり》がなくなり、文字《もじ》がはっきり透《す》けて見《み》えるようになるんだ。ウソだと思《おも》うなら、実験《じっけん》してごらん」

真実《しんじつ》に言《い》われて健太《けんた》は、白《しろ》い紙《かみ》に文字《もじ》を書《か》いて封筒《ふうとう》に入《い》れ、その封筒《ふうとう》にトイレットペーパーの芯《しん》をくっつけてのぞいてみた。

すると、真実《しんじつ》が言《い》ったとおり、文字《もじ》が透《す》けて見《み》えたのだ。

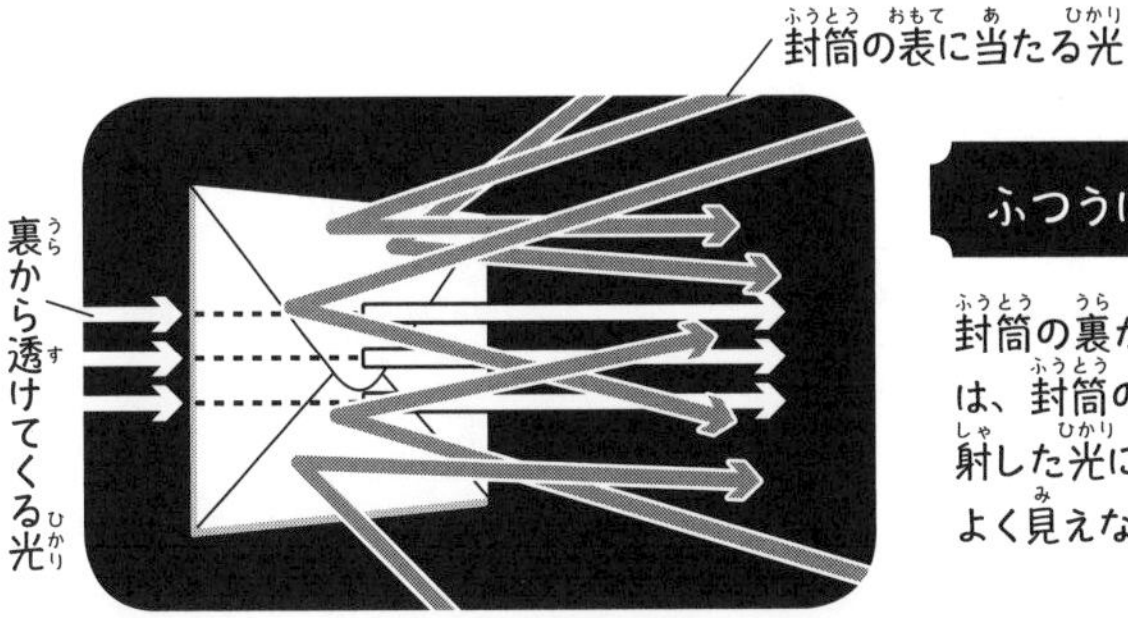

ふつうに見《み》ると……

封筒《ふうとう》の裏《うら》から透《す》けてくる光《ひかり》は、封筒《ふうとう》の表《おもて》に当《あ》たって反《はん》射《しゃ》した光《ひかり》にじゃまをされて、よく見《み》えない。

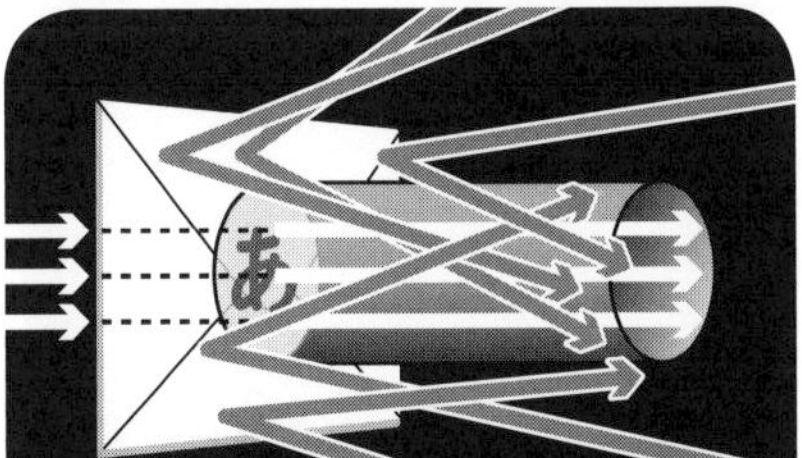

筒《つつ》を通《とお》して見《み》ると……

筒《つつ》で封筒《ふうとう》の表《おもて》に当《あ》たって反《はん》射《しゃ》した光《ひかり》をさえぎると、封《ふう》筒《とう》の裏《うら》から透《す》けてくる光《ひかり》がはっきり見《み》えるようになる。

「……ホントだ！」

「これでわかっただろう？　すべてのナゾは科学《かがく》で解《と》き明《あ》かせる」

「だけど、チカラさんはそのあとも、ぼくが紙《かみ》に書《か》いていないことまで言《い》い当《あ》てたんだよ？」

「誰《だれ》にでも当《あ》てはまるようなことを言《い》われて、『これって自分《じぶん》のことだ』と思《おも》ってしまう心理作用《しんりさよう》を『バーナム効果《こうか》』っていうんだ。占師《うらないし》なんかがよく使《つか》う手《て》さ」

「そういえば……」

　チカラが言《い》ったことはすべて、スマホを買《か》ってもらえない小学生《しょうがくせい》なら誰《だれ》にでも当《あ》てはまることだったと、健太《けんた》は気《き》づいた。

「絵《え》の中《なか》のチョウが目《め》の前《まえ》に現《あらわ》れたり消《き》えたりしたというナゾについては、まだ確実《かくじつ》なことは言《い》えないけど……本物《ほんもの》のチョウが現《あらわ》れたのは、どこかに隠《かく》していたチョウをタイミングよく放《はな》っただけじゃないかな？　いずれにせよ、簡単《かんたん》に説明《せつめい》がつくトリックだと、ぼくは思《おも》うよ」

バーナム効果《こうか》
「人《ひと》から好《す》かれたいという気持《きも》ちがある」「自分《じぶん》の能力《のうりょく》を生《い》かしきれていないと思《おも》う」など、誰《だれ》にでも当《あ》てはまるような一般的《いっぱんてき》なことでも、検査《けんさ》や占《うらな》いの結果《けっか》として聞《き》くと、自分《じぶん》のことを言《い》い当《あ》てられたと感《かん》じてしまう現象《げんしょう》。1949年《ねん》に、アメリカの心理学者《しんりがくしゃ》フォーラーが実証《じっしょう》した。

「ありがとう。やっぱり真実《しんじつ》くんは、すごいや。頼《たよ》りになるよ」

健太《けんた》はそう言《い》って、笑《え》みを浮《う》かべた。

「美希《みき》ちゃん、チカラさんの超能力《ちょうのうりょく》は、やっぱりインチキだよ」

健太《けんた》は美希《みき》のもとに行《い》き、〝透視《とうし》〟のタネ明《あ》かしをして、美希《みき》の目《め》を覚《さ》まさせようとした。

しかし、黒《くろ》いフレンドT《ティー》シャツを着《き》た美希《みき》は、健太《けんた》に言《い》い返《かえ》す。

「だったら健太《けんた》くん、チョウの絵《え》の〝念写《ねんしゃ》〟はどうなるの？」

「えっ、それは……まだ確実《かくじつ》なことは言《い》えないって、真実《しんじつ》くんは言《い》ってたけど……」

「そもそもハマセンの間取《まど》りを当《あ》てたナゾも、真実《しんじつ》くんは解《と》けてないじゃない。チカラさんの超能力《ちょうのうりょく》は、ホンモノよ」

「そんな……」

「実《じつ》は今日《きょう》、チカラさんがね、もっとすごいものを見《み》せてくれるっていうの。ねえ、真実《しんじつ》くんも誘《さそ》って3人《にん》で一緒《いっしょ》に行《い》きましょうよ。行《い》けばチカラさんのスゴさがわかるわよ」

美希《みき》は、すっかりチカラの超能力《ちょうのうりょく》を信《しん》じ切《き》っているようだった。

ふたりは真実《しんじつ》を捜《さが》したが、すでに学校《がっこう》を出《で》てしまったらしく、姿《すがた》が見《み》えない。

「真実《しんじつ》くんにもチカラさんの超能力《ちょうのうりょく》を見《み》てほしかったけど……しょうがないわ。ふたりで行《い》きましょう」

健太《けんた》は、美希《みき》とともにふたたびチカラの自宅《じたく》のサロンへ向《む》かったのだった。

サロンには前《まえ》と変《か》わらず花《はな》が咲《さ》き乱《みだ》れ、チョウが舞《ま》っていた。奥《おく》の壁《かべ》の滝《たき》の右側《みぎがわ》にはチョウのいない花《はな》だけになった絵《え》が、左側《ひだりがわ》には湖《みずうみ》のほとりに立《た》つお城《しろ》の絵《え》がかざられている。

「やあ、よく来《き》てくれたね」

チカラは、やってきた健太《けんた》と美希《みき》を笑顔《えがお》で迎《むか》えた。

「真実《しんじつ》くんの姿《すがた》がここにないのは残念《ざんねん》だけど……今《いま》からボクはキミたちに、とっておきの超《ちょう》能力《のうりょく》を見《み》せてあげるよ」

チカラはそう言《い》うと、お城《しろ》の絵《え》を指《ゆび》さす。

「この絵《え》に、ボクは〝念写《ねんしゃ》〟する。ボクが〝念写《ねんしゃ》〟するもの……それは、キミたちふたりのうちのどちらかだ」

「え!?」

健太《けんた》は驚《おどろ》き、そして、おそるおそるチカラに尋《たず》ねた。

「チカラさんの〝念写《ねんしゃ》〟は、実在《じつざい》する生《い》きたものを念力《ねんりき》によって絵《え》の中《なか》に閉《と》じ込《こ》めることだって言《い》ってたよね？」

「そうさ。だから絵《え》の中《なか》に閉《と》じ込《こ》められた瞬間《しゅんかん》、その誰《だれ》かは……この世《よ》から消《き》えるんだ」

「そんなことが……！」

健太《けんた》は震《ふる》えあがる。しかし、チカラはそんな健太《けんた》におかまいなしに、口元《くちもと》に笑《え》みを浮《う》かべながら、ゆっくりとお城《しろ》の絵《え》に近《ちか》づいていった。

「じゃあ、今《いま》から〝念写《ねんしゃ》〟をするよ。この絵《え》をしっかり見《み》ておいてくれ。絵《え》に姿《すがた》を写《うつ》され、この世《よ》から消《き》えてしまうのは、健太《けんた》くん？　美希《みき》ちゃん？　はたしてどっちかな？」

チカラはそう言《い》って笑《わら》いながら、絵《え》の前《まえ》に手《て》のひらをかざす。

「ちょっと、冗談《じょうだん》だよね？　お願《ねが》い、やめ……」

「無限《むげん》の力《ちから》を、解《と》き放《はな》て！」

力
CHIKAR

チカラが念《ねん》をこめた瞬間《しゅんかん》、健太《けんた》は不思議《ふしぎ》な光景《こうけい》を目《め》にする。
あたりを舞《ま》っていたチョウたちが、いっせいに絵《え》の手前《てまえ》に向《む》かって集《あつ》まりはじめた。
そして、次《つぎ》の瞬間《しゅんかん》、健太《けんた》は目《め》を疑《うたが》った。
なんと、お城《しろ》の絵《え》の中《なか》に、美希《みき》の姿《すがた》が浮《う》かびあがってきたのだ！

「み……美希《みき》ちゃん⁉」

健太《けんた》はあわててあたりを見《み》まわすが、美希《みき》の姿《すがた》はない。
ガゼボの裏《うら》や、部屋中《へやじゅう》をくまなく捜《さが》したが、どこにもいなかった。

「美希《みき》ちゃんが、消《き》えた……」

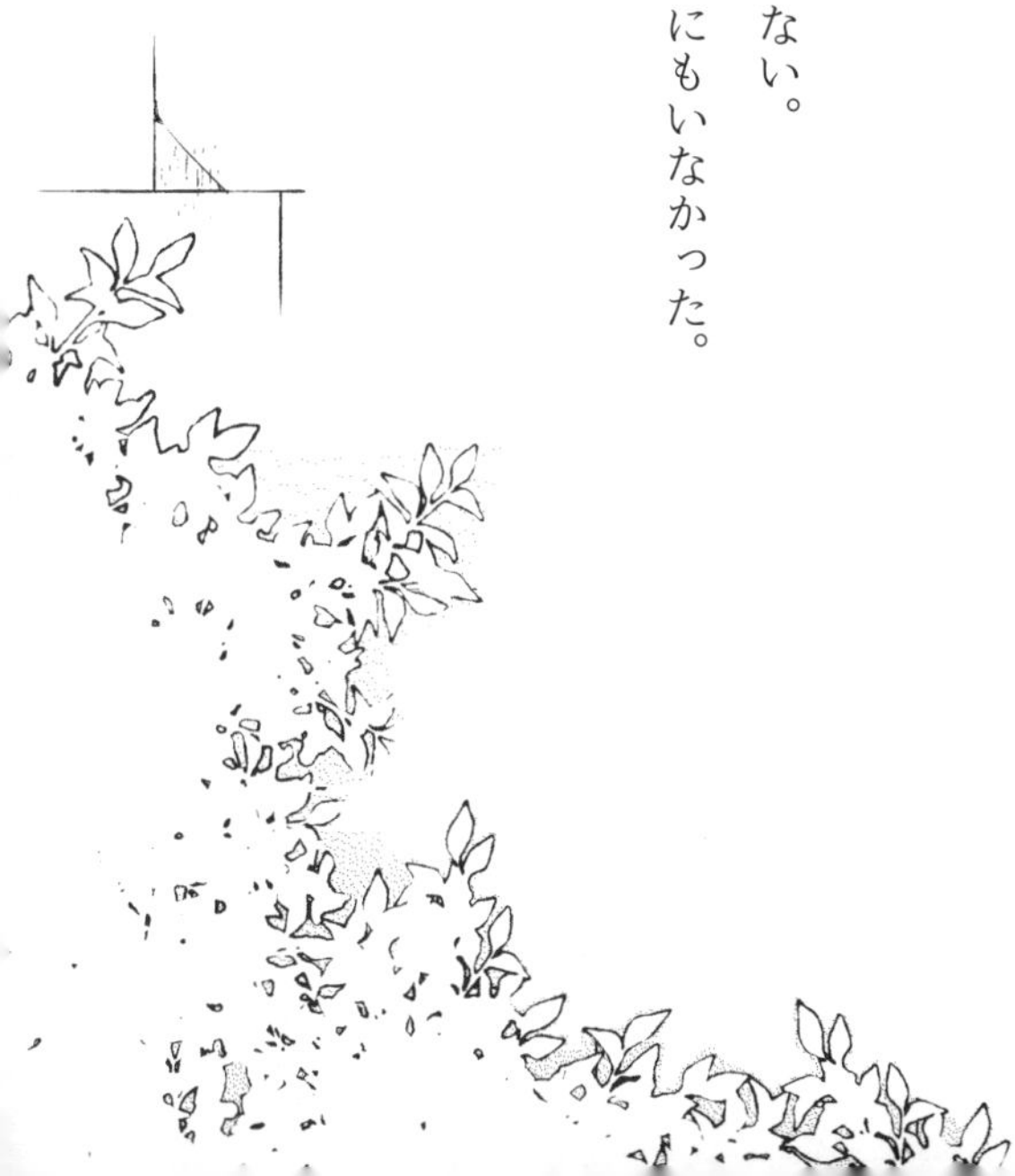

「……そう。ボクが絵《え》に閉《と》じ込《こ》めたのは、美希《みき》ちゃんだ。彼女《かのじょ》は、この世《よ》から永遠《えいえん》に消《き》えてしまった。キミは、もう二度《にど》と彼女《かのじょ》に会《あ》うことはないだろう。あははは」

健太《けんた》は、ショックに打《う》ちのめされる。

「美希《みき》ちゃんは、チカラさんの友達《ともだち》だよね？　それなのに……どうして？」

「友達《ともだち》だからさ。絵《え》の中《なか》に入《い》れておけば、いつでも好《す》きなときに会《あ》えるだろ？」

「そんな……ひどいよ！　今《いま》すぐ美希《みき》ちゃんを絵《え》の中《なか》から出《だ》して！」

健太《けんた》は半泣《はんな》きになりながら、チカラにつめよった。

「美希《みき》ちゃんは、ぼくたちにとっても大切《たいせつ》な友達《ともだち》なんだ！　どうかお願《ねが》い！」

すると、チカラはニヤリとしながら、「いいよ」と答《こた》える。

「健太《けんた》くん、キミは友達思《ともだちおも》いのいいやつだね。ボクは、キミみたいな子《こ》が友達《ともだち》にほしい。ボクの友達《ともだち》になってくれるかい？」

「もちろんだよ！　喜《よろこ》んでチカラさんの友達《ともだち》になる！」

「本当《ほんとう》に？　じゃあ、今日限《きょうかぎ》り、真実《しんじつ》くんとは絶交《ぜっこう》してくれるかな？」

「……えっ!?」

健太《けんた》は、言葉《ことば》を失《うしな》った。

「そんな……真実《しんじつ》くんと絶交《ぜっこう》するなんて……そんなこと、ぼくには……」

「まあいい。少《すこ》しだけ時間《じかん》をあげよう。そのあいだによく考《かんが》えておいてね。美希《みき》ちゃんを見《み》捨《す》てるか、真実《しんじつ》くんと絶交《ぜっこう》するか」

チカラはそう言《い》って、健太《けんた》をじっと見《み》つめた。


(そんな……ぼくには、どっちも選《えら》べないよ)

チカラの自宅《じたく》を出《で》た健太《けんた》は、ふらふらと道《みち》を歩《ある》いた。

(でも、真実《しんじつ》くんと絶交《ぜっこう》しなければ……美希《みき》ちゃんは……)

絵《え》の中《なか》にとらわれた美希《みき》の姿《すがた》がまぶたに浮《う》かぶ。

(……どうすればいい?　いったいどうすれば……)

「健太《けんた》くん」

「え?」

健太《けんた》は、突然《とつぜん》聞《き》こえてきた声《こえ》に立《た》ち止《ど》まる。

顔《かお》をあげると、道《みち》の向《む》こうから真実《しんじつ》がこちらに歩《ある》いてくる姿《すがた》が見《み》えた。

「し……真実《しんじつ》くん！」


「健太《けんた》くん、いったいどうしたんだい？」

真実《しんじつ》は、ただならぬようすの健太《けんた》の顔《かお》を、心配《しんぱい》そうにのぞき込《こ》む。

眼鏡《めがね》の奥《おく》のやさしい目《め》を見《み》て、健太《けんた》は泣《な》きそうになり、思《おも》わず顔《かお》をそむけた。

「真実《しんじつ》くん……ぼくはもう……真実《しんじつ》くんと友達《ともだち》ではいられない……ぜ、絶交《ぜっこう》しなくちゃいけないんだ……！」

「は？　言《い》っている意味《いみ》がよくわからないんだけど」

「……さようなら、真実《しんじつ》くんっ……」

涙《なみだ》があふれそうになり、健太《けんた》はダッと、その場《ば》を駆《か》けだしていった。

「健太《けんた》くん、待《ま》つんだ！」

真実《しんじつ》は、健太《けんた》のあとを追《お》いかける。

しばらくして健太《けんた》に追《お》いついた真実《しんじつ》は、「落《お》ち着《つ》いて、わけを話《はな》してごらん」と健太《けんた》をうながした。

「ごめん……ホントは絶交《ぜっこう》なんかしたくないんだ。でも、真実《しんじつ》くんと絶交《ぜっこう》しなければ美希《みき》ちゃんは……ずっと絵《え》の中《なか》に閉《と》じ込《こ》められたまんまなんだ……」

真実《しんじつ》から目《め》をそむけたまま、健太《けんた》は涙《なみだ》をこらえながら事情《じじょう》を語《かた》る。

それを聞《き》いて、真実《しんじつ》はフッとほほえんだ。

「心配《しんぱい》しなくてもだいじょうぶさ。美希《みき》さんは、絵《え》の中《なか》に閉《と》じ込《こ》められたわけじゃない。チカラさんの〝念写《ねんしゃ》〟は、すべてトリックだよ」

「……トリック？」

「一点《いってん》だけ、確《たし》かめたいことがある。健太《けんた》くん。美希《みき》さんが絵《え》に〝念写《ねんしゃ》〟されたとき、周囲《しゅうい》の状況《じょうきょう》で何《なに》か変《か》わったことはなかった？」

「……変《か》わったこと？」

健太《けんた》は、そのときの状況《じょうきょう》を思《おも》い返《かえ》してみた。

「そういえば……チョウが変《へん》な動《うご》きをしていたんだ」

「……変《へん》な動《うご》き？」

「うん。絵《え》の手前《てまえ》にある草花《くさばな》のところに急《きゅう》に集《あつ》まってきたような……」

「……なるほど、よくわかった。健太《けんた》くんのおかげで確信《かくしん》が持《も》てたよ」

真実《しんじつ》はニヤリと笑《わら》い、人《ひと》さし指《ゆび》で眼鏡《めがね》をクイッとあげた。

「この世《よ》に科学《かがく》で解《と》けないナゾはない。ナゾはすべて解《と》けたよ。蝶野力《ちょうのちから》は、あるものに反応《はんのう》するインクを使《つか》い、美希《みき》さんの姿《すがた》を絵《え》の中《なか》に浮《う》かびあがらせたんだ。あるものとは、いったい何《なに》か？　そのヒントは、健太《けんた》くんが今言《いまい》った言葉《ことば》の中《なか》にある」

チョウなどの昆虫《こんちゅう》は、人間《にんげん》には見《み》えないものが見《み》えるんだよ。

解《かい》決《けつ》編《へん》

真実《しんじつ》は、健太《けんた》とともにチカラの家《いえ》を訪《たず》ね、サロンに足《あし》を踏《ふ》み入《い》れた。

サロンに飾《かざ》られたお城《しろ》の絵《え》には、あいかわらず美希《みき》の姿《すがた》がある。

そして、絵《え》の手前《てまえ》に咲《さ》いている花《はな》のまわりには、たくさんのチョウが集《あつ》まっていた。

「これはこれは謎野真実《なぞのしんじつ》くん。キミがこのサロンに来《き》てくれるなんて光栄《こうえい》だよ」

チカラはほほえみを浮《う》かべながら言《い》ったあと、健太《けんた》に向《む》き直《なお》る。

「真実《しんじつ》くんを連《つ》れてきた……ということは、絶交《ぜっこう》しないほうを選《えら》ぶということだね。じゃあ美希《みき》ちゃんは、絵《え》の中《なか》から永遠《えいえん》に出《で》られないよ」


「出《で》られるよ！」


自分《じぶん》でも驚《おどろ》くほど強《つよ》い口調《くちょう》で、健太《けんた》はチカラに言《い》い返《かえ》す。

真実《しんじつ》は健太《けんた》を見《み》てうなずき、チカラと向《む》き合《あ》った。

「チカラさん、あなたのトリックはすべて見破《みやぶ》った。美希《みき》さんを返《かえ》してもらおうか」

「ほう？　自信満々《じしんまんまん》だね。残念《ざんねん》だが、ボクの〝念写《ねんしゃ》〟はトリックなんかじゃない」

「いや、あなたは科学《かがく》の力《ちから》を利用《りよう》しただけだ。健太《けんた》くんの観察眼《かんさつがん》のおかげで、すべてのナゾは解《と》けたよ」

真実《しんじつ》は、美希《みき》の絵《え》の手前《てまえ》にある、チョウが集《あつ》まっているあたりの草花《くさばな》をかきわける。すると、草《くさ》むらの中《なか》から、絵《え》を照《て》らすような角度《かくど》で置《お》かれた床置《ゆかお》き式《しき》のライトが現《あらわ》れた。

「チカラさん、あなたが〝念《ねん》写《しゃ》〟のトリックに使《つか》ったのは、このライトですね？」

「……トリック？　いったいどんなトリックを使《つか》ったというんだい？」

「認《みと》めないというなら、今《いま》から

ぼくがあなたと同《おな》じことをやってみせます。まずは美希《みき》さんを、この絵《え》の中《なか》から解放《かいほう》してみせる」

真実《しんじつ》はスカーフくらいの大《おお》きさの黒《くろ》い布《ぬの》をふところから取《と》り出《だ》すと、それを床置《ゆかお》き式《しき》のライトの上《うえ》にかぶせる。

次《つぎ》の瞬間《しゅんかん》、なんと絵《え》の中《なか》から、美希《みき》の姿《すがた》だけがスーッと消《き》えた。

「美希《みき》ちゃんが絵《え》から消《き》えた!?　いったいどういうこと!?」

目《め》をみはる健太《けんた》に、「驚《おどろ》くのはまだ早《はや》いよ」と真実《しんじつ》は言《い》った。

「ぼくはもう一度《いちど》、この絵《え》に美希《みき》さんの姿《すがた》を〝念写《ねんしゃ》〟してみせる」

真実《しんじつ》は言《い》い終《お》わると、ライトにかぶせていた布《ぬの》をサッと取《と》り除《のぞ》いた。

すると、美希《みき》の姿《すがた》はふたたびゆっくりと、絵《え》の中《なか》に浮《う》かびあがった。

「すごい、まるで魔法《まほう》みたいだ！　真実《しんじつ》くん、その布《ぬの》はいったい何《なん》なの？」

「これは、紫外線《しがいせん》をカットする布《ぬの》さ」

「紫外線《しがいせん》？」

「人間《にんげん》の目《め》には見《み》えない、光《ひかり》の一種《いっしゅ》だよ。美希《みき》さんの姿《すがた》は、紫外線《しがいせん》に反応《はんのう》して、色《いろ》が出《で》たり、消《き》えたりするインクで描《か》かれているんだ。そして、この絵《え》の前《まえ》に置《お》かれた床置《ゆかお》き式《しき》のライトは、紫外線《しがいせん》を発《はっ》するライトなのさ」

「あ、なるほど！　紫外線《しがいせん》だから虫《むし》が集《あつ》まったんだね」

「健太《けんた》くん、そのとおりだよ。チョウやガなどの虫《むし》は、紫外線領域《しがいせんりょういき》の光《ひかり》を好《この》むからね」

　サロンに設置《せっち》されたほかのライトは、すべて紫外線《しがいせん》の出《で》ないライトだが、２枚《まい》の絵《え》の手前《てまえ》にそれぞれ置《お》かれた床置《ゆかお》き式《しき》のライトだけが紫外線《しがいせん》を発《はっ》するものだと、真実《しんじつ》は言《い》った。

「こっちの絵《え》には、もともと美希《みき》さんの姿《すがた》だけが紫外線《しがいせん》に反応《はんのう》するインクで描《か》かれていたんだ。絵《え》の前《まえ》のライトがつくと、その紫外線《しがいせん》に反応《はんのう》して、美希《みき》さんの姿《すがた》が浮《う》かびあがる。ライトを消《け》せば、絵《え》の中《なか》の美希《みき》さんも消《き》える。

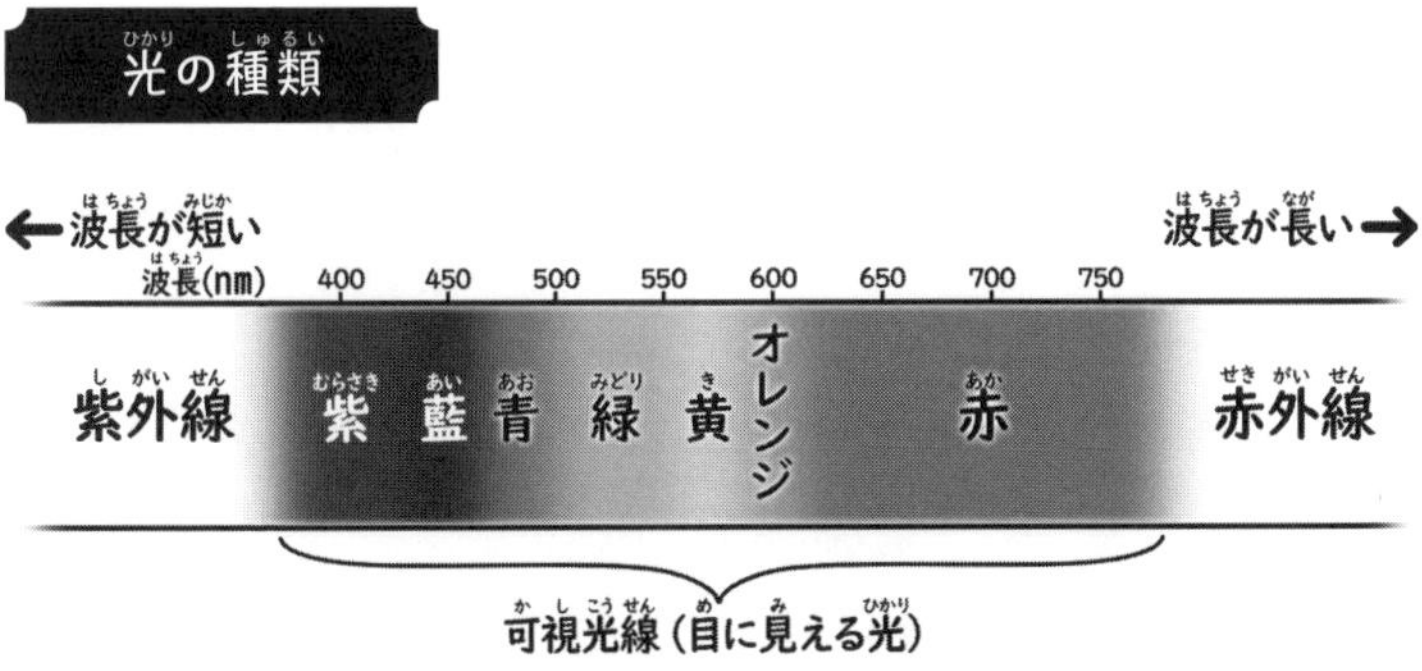
光《ひかり》の種類《しゅるい》
←波長《はちょう》が短《みじか》い
波長《はちょう》が長《なが》い→
波長《はちょう》(nm)
400
450
500
550
600
650
700
750
紫外線《しがいせん》
紫《むらさき》
藍《あい》
青《あお》
緑《みどり》
黄《き》
オレンジ
赤《あか》
赤外線《せきがいせん》
可視光線《かしこうせん》（目《め》に見《み》える光《ひかり》）

※ nm ＝ナノメートル。10億分《おくぶん》の１メートルの単位《たんい》。

絵《え》のトリック

ふつうのインクで描《か》かれている絵《え》に現《あらわ》れたり消《け》したりしたい絵《え》を、紫外線《しがいせん》に反応《はんのう》するインクで、描《か》いておく

紫外線《しがいせん》に反応《はんのう》するインクは、紫外線《しがいせん》が当《あ》たっていなければ、白《しろ》いままで見《み》えない。
ライトの紫外線《しがいせん》でインクを照《て》らすと、インクが発色《はっしょく》し絵《え》が浮《う》かびあがる！
紫外線《しがいせん》ライトON《オン》

――チカラさん、これがあなたの『念写《ねんしゃ》トリック』のすべてですね？」

真実《しんじつ》は、チカラに鋭《するど》いまなざしを向《む》けた。

「……ふふ。なるほど。さすがは真実《しんじつ》くん、みごとな洞察力《どうさつりょく》だね。だが考《かんが》えてみたまえ。美希《みき》ちゃんの姿《すがた》が絵《え》に浮《う》かびあがったとき、同時《どうじ》に、実物《じつぶつ》の美《み》希《き》ちゃんの姿《すがた》は消《き》えたんだ。そのことは、どう説明《せつめい》するんだい？」

「簡単《かんたん》なトリックさ。健太《けんた》くん、美希《みき》さんが消《き》えたとき、立《た》っていたのは、どのあたりか覚《おぼ》えてる？」

「えっと、確《たし》か……あのへんだったかな？」

健太《けんた》は、ガゼボの左側《ひだりがわ》の壁《かべ》ぎわを指《さ》す。

「なるほど……そのあたりか」

真実《しんじつ》は美希《みき》が立《た》っていた場所《ばしょ》に来《く》ると、そのうしろにある壁《かべ》をポンと押《お》した。すると、壁《かべ》の一部《いちぶ》が回転《かいてん》ドアのようにクルリと回《まわ》り、となりの部屋《へや》に続《つづ》く通路《つうろ》が見《み》えた。

「この壁《かべ》は、どんでん返《がえ》しになっているんだ。美希《みき》さんは、ここを通《とお》って、

紫外線《しがいせん》に反応《はんのう》するインク
紫外線《しがいせん》に反応《はんのう》する成分《せいぶん》が含《ふく》まれており、紫外《しがい》線《せん》に当《あ》たると発色《はっしょく》し、紫外線《しがいせん》がなくなると色《いろ》が消《き》える。「フォトクロミックインキ」とも呼《よ》ばれる。一般向《いっぱんむ》けにも、「忍者《にんじゃ》えのぐ」という名《な》前《まえ》で販売《はんばい》されている。

となりの部屋《へや》に身《み》を隠《かく》したのさ」

「え⁉　つまり美希《みき》ちゃんは、チカラさんのトリックに協力《きょうりょく》してたってこと⁉」

真実《しんじつ》の言葉《ことば》に、健太《けんた》は衝撃《しょうげき》を受《う》ける。

「おそらく、これがトリックだとは知《し》らされてなかったんじゃないかな。チカラさんは何《なに》か理由《りゆう》をつけて美希《みき》さんに、自分《じぶん》が念《ねん》をこめるタイミングで、壁《かべ》を抜《ぬ》けるように言《い》いくるめておいた……」

その言葉《ことば》を聞《き》いて、チカラは「ハーハッハハ」と不敵《ふてき》に笑《わら》いだした。

「あの子《こ》は素直《すなお》だね。ボクの超能力《ちょうのうりょく》をきわ立《だ》たせるために必要《ひつよう》だって言《い》ったら、すばらしいタイミングで壁《かべ》を抜《ぬ》けてくれたよ」

「そんな……ひどいよ、チカラさん！　美希《みき》ちゃんがホントのことを知《し》ったら、きっと怒《おこ》るよ。こういうインチキは、ジャーナリズムに反《はん》するって、いつも言《い》ってるんだから！」

「さあ、それはどうかな」

「えっ？」

「美希《みき》ちゃんは、あの壁《かべ》の向《む》こうでボクたちの会話《かいわ》を聞《き》いているはずだ。だけど、キミたちの前《まえ》には出《で》てこないよね？」

「**まさか……**」

健太《けんた》は思《おも》わず壁《かべ》のほうに目《め》をやる。

「しょせん、人《ひと》は見《み》たいものしか見《み》ないのさ。彼女《かのじょ》は、キミたちが唱《とな》える退屈《たいくつ》な現実《げんじつ》より、ボクが見《み》せる夢《ゆめ》を選《えら》んだんだ」

（そんな……美希《みき》ちゃん、どうして……）

健太《けんた》は、がく然《ぜん》としながら、心《こころ》の中《なか》でつぶやいた。

3

SCIENCE TRICK DATA FILE

科学《かがく》トリック データファイル

Q.紫外線《しがいせん》が見《み》える生《い》き物《もの》は昆虫《こんちゅう》以外《いがい》にもいるの?

紫外線《しがいせん》が見《み》える昆虫《こんちゅう》の目《め》の秘密《ひみつ》

昆虫《こんちゅう》と人間《にんげん》は、見《み》える光《ひかり》の範囲《はんい》が違《ちが》います。昆虫《こんちゅう》にはよく見《み》える紫《し》外線《がいせん》は、人間《にんげん》には見《み》えません。逆《ぎゃく》に、人間《にんげん》には見《み》える黄色《きいろ》や赤色《あかいろ》が、昆虫《こんちゅう》には見《み》えにくいのです。そのため、昆虫《こんちゅう》が赤《あか》い花《はな》に集《あつ》まることはあまりないといわれています。

昆虫《こんちゅう》と人間《にんげん》の見《み》えかたの違《ちが》い

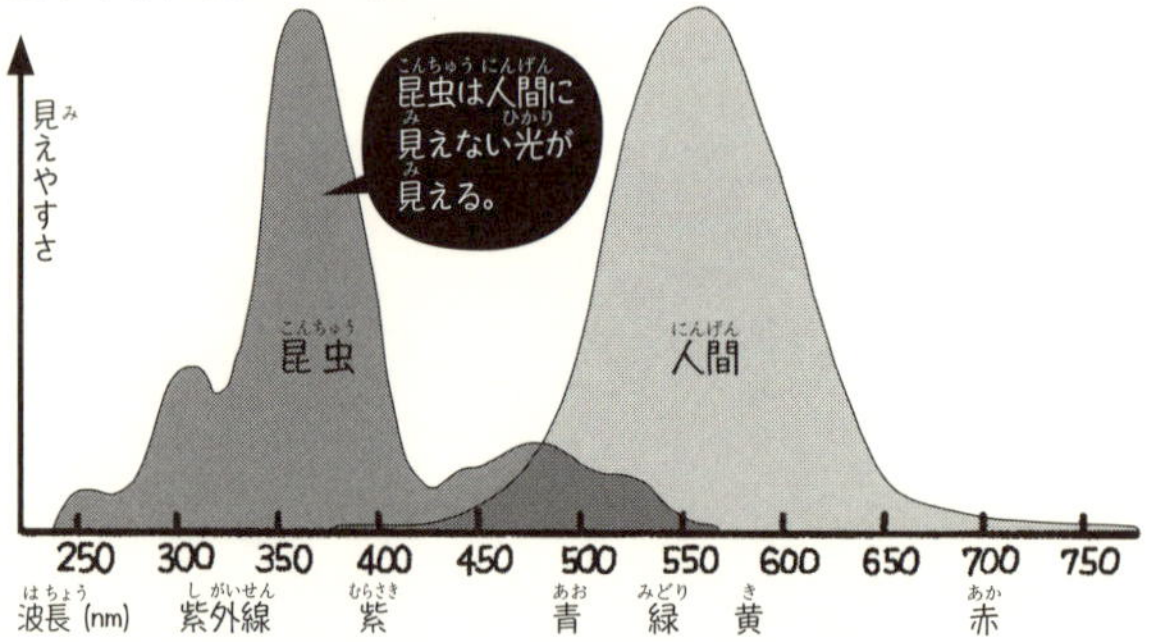
見《み》えやすさ
昆虫《こんちゅう》は人間《にんげん》に見《み》えない光《ひかり》が見《み》える。
昆虫《こんちゅう》
人間《にんげん》
250 300 350 400 450 500 550 600 650 700 750
波長《はちょう》(nm)
紫外線《しがいせん》
紫《むらさき》
青《あお》
緑《みどり》
黄《き》
赤《あか》

花《はな》はミツの場所《ばしょ》をアピールしている！

ミツを取《と》りにきた昆虫《こんちゅう》に受粉《じゅふん》を手助《てだす》けしてもらうため、花《はな》はミツのある場所《ばしょ》を目立《めだ》たせて、昆虫《こんちゅう》が見《み》つけやすくしている。

ここにミツがあるよ！

昆虫《こんちゅう》から見《み》ると……

人間《にんげん》に紫外線《しがいせん》は見《み》えなくても……

昆虫《こんちゅう》から見《み》ると、オスとメスで色《いろ》が違《ちが》う！

モンシロチョウは、昆虫《こんちゅう》の目《め》で見《み》るとオスとメスの色《いろ》が違《ちが》う。そのため、オスはメスを探《さが》しやすくなる。

あそこにメスがいる！

昆虫《こんちゅう》から見《み》ると……

人間《にんげん》には同《おな》じ色《いろ》でも……

A.は虫類《ちゅうるい》や鳥類《ちょうるい》も紫外線《しがいせん》が見《み》えているらしいよ

力
CHIKARA
力
CHIKARA

超能力少年《ちょうのうりょくしょうねん》4

空中浮遊《くうちゅうふゆう》

「なんだか緊張《きんちょう》しちゃうね」

テレビ局《きょく》の控室《ひかえしつ》。

健太《けんた》は真実《しんじつ》とともに、番組《ばんぐみ》の本番《ほんばん》が始《はじ》まるのを待《ま》っていた。

真実《しんじつ》はチカラの挑戦《ちょうせん》を受《う》け、ふたたびテレビ番組《ばんぐみ》に出演《しゅつえん》し、対決《たいけつ》することになったのだ。

「緊張《きんちょう》するって、出演《しゅつえん》するのは、ぼくなんだけど」

健太《けんた》の言葉《ことば》に真実《しんじつ》が苦笑《くしょう》する。

「それはそうだけど……」

健太《けんた》はチカラと対決《たいけつ》する真実《しんじつ》を観覧席《かんらんせき》から見守《みまも》るしかできない。それだけに、先《さき》ほどからなんだか落《お》ち着《つ》かなかったのだ。

それに、もうひとつ気《き》がかりなことがあった。

(美希《みき》ちゃん、やっぱり来《こ》なかった。でも、もし来《き》たとしても、きっとチカラさんの応援《おうえん》をするんだよね……)

チカラのサロンの一件《いっけん》から、美希《みき》とは学校《がっこう》でも顔《かお》を合《あ》わせていなかった。

(美希《みき》ちゃんがチカラさんの応援《おうえん》なんかしたら、真実《しんじつ》くんは動揺《どうよう》して負《ま》けちゃうかもしれない……）

健太《けんた》は、不安《ふあん》で胸《むね》が張《は》りさけそうになる。

（それに、前回《ぜんかい》どうやってチカラさんがハマセンの家《いえ》の間取《まど》りを言《い》い当《あ》てたのか、まだわからないままだし……）

心配《しんぱい》そうな顔《かお》をした健太《けんた》に、真実《しんじつ》が声《こえ》をかけた。

「さあ、もうすぐ本番《ほんばん》だ。健太《けんた》くんも、そろそろ浜田先生《はまだせんせい》のいる観覧席《かんらんせき》へ移動《いどう》したほうがいいよ」

今回《こんかい》も、ハマセンが引率者《いんそつしゃ》だ。

ハマセンはすでに、観覧席《かんらんせき》に座《すわ》っていた。

「でも……」

健太《けんた》は真実《しんじつ》をひとりにしたくなかった。

すると、そんな健太《けんた》の気持《きも》ちを察《さっ》したのか、真実《しんじつ》が笑《え》みを浮《う》かべた。

「だいじょうぶ。　ぼくはもう負《ま》けないよ」

「真実《しんじつ》くん……」

弱気《よわき》になっていたのは、健太《けんた》だけのようだ。

「そうだよね！　真実《しんじつ》くんに解《と》けないナゾはないもんね！」

健太《けんた》は大《おお》きくうなずいた。

「いや〜、チカラ先生《せんせい》がどうしても真実《しんじつ》さんに出《で》てほしいって言《い》うんですよ〜」

本番直前《ほんばんちょくぜん》。真実《しんじつ》は、プロデューサーの軽井《かるい》と廊下《ろうか》を歩《ある》きながらスタジオに向《む》かっていた。

「ウチとしましては、一度勝負《いちどしょうぶ》がついているから、真実《しんじつ》さんには出《で》てもらわなくてもいいんじゃないかって思《おも》ったんですけどねえ」

「そうなんですか」

「だけど、こうやってわざわざスペシャルコーナーを用意《ようい》したんです。真実《しんじつ》さん、頼《たの》みますよ。せいぜいがんばって盛《も》り上《あ》げてくださいよ！」

軽井《かるい》は笑《わら》いながら真実《しんじつ》の肩《かた》をたたいた。

やがて、スタジオの前《まえ》までやってくると、軽井《かるい》は分厚《ぶあつ》いドアを開《ひら》き、真実《しんじつ》に中《なか》に入《はい》るようながす。

真実《しんじつ》は、まっすぐ前《まえ》を見《み》ると、スタジオに足《あし》を踏《ふ》み入《い》れた。

「続《つづ》きましては、スペシャルコーナーの『対決《たいけつ》、チカラさん！』です！　対決《たいけつ》のお相手《あいて》は、なんと以前《いぜん》も登場《とうじょう》した科学探偵《かがくたんてい》の謎野《なぞの》真実《しんじつ》くんです！　さあ、前回《ぜんかい》のリベンジとなるでしょうか⁉」

司会者《しかいしゃ》の呼《よ》び声《ごえ》とともに、スタジオに真実《しんじつ》が登場《とうじょう》する。

前回《ぜんかい》とは違《ちが》って、音楽《おんがく》もなければ、スポットライトもない。拍手《はくしゅ》もまばらだった。

観覧席《かんらんせき》には、今回《こんかい》もチカラのフレンドたちが陣取《じんど》り、真実《しんじつ》に冷《ひ》ややかな視線《しせん》を送《おく》っていた。

そのとき――。

「真実《しんじつ》くん！　がんばれー‼」

健太《けんた》が、観覧席《かんらんせき》から大《おお》きな声《こえ》を出《だ》した。

それを聞《き》き、まわりに座《すわ》っていたフレンドたちが薄《うす》ら笑《わら》いを浮《う》かべる。

「宮下《みやした》、なんだか笑《わら》われてるぞ」

健太《けんた》のとなりに座《すわ》っているハマセンは、フレンドたちが気《き》になって居心地《いごこち》が悪《わる》そうだ。

だが、健太《けんた》はまわりのようすを気《き》にすることなく、もう一度《いちど》「がんばれー‼」と真実《しんじつ》を応《おう》援《えん》した。

「おやおや、お友達《ともだち》も応援《おうえん》してくれているみたいですねえ。真実《しんじつ》くん、これはなんとしてもチカラさんに勝《か》たないといけませんねえ」

司会者《しかいしゃ》はそう言《い》うとカメラを見《み》た。

「では、いよいよ登場《とうじょう》してもらいましょう！　我《われ》らがミラクルヒーロー、超能力少年《ちょうのうりょくしょうねん》チカラさんです！」

荘厳《そうごん》なクラシック音楽《おんがく》が鳴《な》り響《ひび》き、スモークがたかれ、スポットライトが照《て》りつける。

そのスポットライトを浴《あ》びながら、チカラがスタジオに登場《とうじょう》した。

観覧席《かんらんせき》から拍手《はくしゅ》と大歓声《だいかんせい》が沸《わ》き起《お》こる。チカラはその歓声《かんせい》に手《て》をあげて応《こた》えながら、ゆっくりと真実《しんじつ》の前《まえ》にやってきた。

「やあ、真実《しんじつ》くん、こうやってまた対決《たいけつ》ができてうれしいよ。まあ、前回同様《ぜんかいどうよう》、ボクの超能力《ちょうのうりょく》にはトリックなんてないってことがわかるだけなんだけどね」

チカラは余裕《よゆう》の表情《ひょうじょう》で、真実《しんじつ》を挑発《ちょうはつ》する。健太《けんた》はそんなチカラにムッとするが、真実《しんじつ》は冷静《れいせい》なままだった。

司会者《しかいしゃ》がチカラに言《い》う。

「さあ、今回《こんかい》はどんな超能力《ちょうのうりょく》を披露《ひろう》するんですか？」

「まあ、そうあわてないで。今回超能力《こんかいちょうのうりょく》を披露《ひろう》するのは、ボクじゃないから」

そう言《い》って、チカラはスタジオの中央《ちゅうおう》にセットされていた巨大《きょだい》モニターに目《め》をやった。

するとそこに、映像《えいぞう》が映《うつ》し出《だ》された。

「やあ、みんな、お待《ま》たせ」

モニターの向《む》こうにいたのは、おそろ

いの黒《くろ》いT《ティー》シャツを着《き》た5人《にん》の子《こ》どもたちだ。

「フレンドだ！」

健太《けんた》は、もしかして美希《みき》もいるかもしれないと、モニターに目《め》をこらしたが、どうやらいないようだった。

一方《いっぽう》、チカラは不敵《ふてき》な笑《え》みを浮《う》かべながら、真実《しんじつ》を見《み》た。

「彼《かれ》らは、ボクのファンミーティングに最《もっと》も熱心《ねっしん》に参加《さんか》しているフレンドたちで、ボクの指導《しどう》で秘《ひ》めた力《ちから》を解放《かいほう》することができるようになったんだ。つまり、超能力《ちょうのうりょく》を使《つか》えるようになったってわけさ。そう、彼《かれ》らが披露《ひろう》するのは、〝空中浮遊《くうちゅうふゆう》〟だ」

「空中浮遊《くうちゅうふゆう》!?」

スタジオの観客《かんきゃく》たちが驚《おどろ》きの声《こえ》をあげた。

「さあ、真実《しんじつ》くん、超能力《ちょうのうりょく》が誰《だれ》でも持《も》っている力《ちから》だということをお見《み》せするよ。彼《かれ》らは別室《べっしつ》で集中力《しゅうちゅうりょく》を高《たか》めながら待《ま》ってたんだ。みんな、もう準備《じゅんび》はいいかな?」

チカラがモニター越《ご》しに尋《たず》ねると、フレンドたちは「はい!」と答《こた》えた。

「ブラーヴォ! ブラーヴォ!」

チカラはモニターのフレンドたちを見《み》ながら、手《て》を大《おお》きく広《ひろ》げ言《い》った。

「人《ひと》は誰《だれ》でも無限《むげん》のすばらしい力《ちから》を持《も》っている！」

フレンドたちが、チカラの言葉《ことば》を繰《く》り返《かえ》す。

「人《ひと》は誰《だれ》でも無限《むげん》のすばらしい力《ちから》を持《も》っている!!」

「ブラーヴォ。さあ、始《はじ》めよう！」

チカラがパチンと指《ゆび》を鳴《な》らすと、フレンドたちはいっせいに部屋《へや》の壁《かべ》ぎわに走《はし》り、一定《いってい》の間隔《かんかく》を空《あ》けて立《た》った。

カメラは固定《こてい》されたままだったが、どんどん画面《がめん》が引《ひ》いていき、部屋全体《へやぜんたい》を映《うつ》し出《だ》した。

部屋《へや》は狭《せま》く、円形《えんけい》のようだ。

フレンドたちはみな、壁《かべ》に背中《せなか》をつけた。

スタジオにいるチカラが、天《てん》を仰《あお》ぐと、モニターの向《む》こうにいるフレンドたちも同《おな》じように天《てん》を仰《あお》いだ。

先《さき》ほどまで盛《も》り上《あ》がっていた観客《かんきゃく》たちも、しんと静《しず》まり返《かえ》り、チカラたちのようすを見《み》守《まも》っている。

真実《しんじつ》も、じっとモニターを見《み》つめていた。

「さあ、みんな、自由《じゆう》の空《そら》へと羽《は》ばたくんだ！」

突然《とつぜん》、チカラが声《こえ》をあげた。


「無限《むげん》の力《ちから》を、解《と》き放《はな》て！」


チカラは手《て》をモニターのほうにかざした。

「おう！」

フレンドたちは壁《かべ》に背《せ》をつけたまま、意識《いしき》を集中《しゅうちゅう》させる。

次《つぎ》の瞬間《しゅんかん》、驚《おどろ》くべきことが起《お》きた。

フレンドたちの足《あし》がふっと床《ゆか》から離《はな》れたかと思《おも》うと、みるみる上《うえ》へと浮《う》かんでいったのだ。

「おお、キターーーッ!!」

「本当《ほんとう》に浮《う》いたわ!!」

フレンドたちは壁《かべ》に背《せ》をつけたまま叫《さけ》び、さらに高《たか》く浮《う》かんでいく。

「わたしたち、超能力《ちょうのうりょく》が使《つか》えるようになったのね！」

「ああ、やった！　成功《せいこう》だ！」

フレンドたちは興奮《こうふん》しながら、大喜《おおよろこ》びしていた。

「ほら、逆《さか》さまにもなれるよ！」

そう言《い》う背《せ》の高《たか》い男《おとこ》の子《こ》の体《からだ》が、逆《さか》さまになっていく。

「よおし、いい感《かん》じだ。ボクもキミたちの力《ちから》をサポートするよ」

チカラはその男《おとこ》の子《こ》を見《み》ながら、手《て》をかざした。

すると、男《おとこ》の子《こ》は浮《う》かびながら、完全《かんぜん》に体《からだ》が上下《じょうげ》逆《さか》さまになった。

「おおお！」

ほかのフレンドたちも、思《おも》いおもいのかっこうになっていく。

チカラは手《て》をかざしながら、「ブラーヴォ！」と言《い》って笑《わら》った。

「まさか、こんなことありえないぞ……」

ハマセンが、口《くち》をあんぐりと開《あ》けてつぶやく。

「そんな……」

健太《けんた》は動揺《どうよう》しながらも、真実《しんじつ》を見《み》た。

真実《しんじつ》は何《なに》も言《い》わず、ただ冷静《れいせい》にモニターを見続《みつづ》けていた。

「よーし、もういいだろう！　みんな、地面《じめん》に着地《ちゃくち》するんだ」

チカラはそう言《い》うと、ゆっくりと手《て》を下《さ》げて合図《あいず》を送《おく》った。

フレンドたちがゆっくりと地面《じめん》に降《お》りてきた。

床《ゆか》に足《あし》がつく。

フレンドたちは壁《かべ》から背《せ》を離《はな》すと、全員《ぜんいん》笑顔《えがお》になった。

力
CHIKA·RA

「わたしたちに眠《ねむ》っていた力《ちから》が呼《よ》び覚《さ》まされたんだわ！」

「ああ、ぼくたち、チカラくんと同《おな》じ超能力者《ちょうのうりょくしゃ》になれたんだ！」

フレンドたちは感激《かんげき》して、手《て》と手《て》を取《と》り合《あ》って喜《よろこ》んだ。

しかしなぜか、みんなフラついている。

「みんな！　あまり動《うご》くと倒《たお》れちゃうよ。力《ちから》をずいぶん使《つか》ったからね」

「そっか。チカラくん言《い》ってたもんね。初《はじ》めて超能力《ちょうのうりょく》を使《つか》ったあとはフラフラになっちゃうって」

チカラは「ああ」と答《こた》えると、スタジオのカメラを見《み》た。

「さあ、テレビの前《まえ》のみなさん。その目《め》でちゃんと見《み》てくれたかな？　これは訓練《くんれん》さえすれば誰《だれ》でも手《て》に入《い》れることができる、すばらしい力《ちから》なんです！」

「これはすごい！　まさに奇跡《きせき》が起《お》こりました！」

司会者《しかいしゃ》の声《こえ》とともに、スタジオに拍手《はくしゅ》と歓声《かんせい》が沸《わ》き起《お》こった。

「すごい……」

健太《けんた》は一瞬《いっしゅん》、超能力《ちょうのうりょく》を信《しん》じそうになったが、すぐに首《くび》を大《おお》きく横《よこ》に振《ふ》り、真実《しんじつ》のほうを見《み》た。

真実《しんじつ》は、口元《くちもと》に手《て》を当《あ》てて何《なに》かを考《かんが》えているようだ。

司会者《しかいしゃ》はそんな真実《しんじつ》に声《こえ》をかけた。

「真実《しんじつ》くん、今《いま》のは本物《ほんもの》の超能力《ちょうのうりょく》のように見《み》えましたが」

「興味深《きょうみぶか》い現象《げんしょう》でしたね」

「ではやはり、科学《かがく》トリックではない、ということですね⁉」

「おおおお！」

観客《かんきゃく》たちの歓声《かんせい》がさらに大《おお》きくなる。

「そんな、真実《しんじつ》くん……」

健太《けんた》はもう、どう声《こえ》をかければいいかわからなくなってしまった。

「みなさん！　真実《しんじつ》くんは、チカラさんの力《ちから》を超能力《ちょうのうりょく》と認《みと》めたようです！」

司会者《しかいしゃ》はそう言《い》って、カメラに向《む》かってチカラの勝《か》ちを宣言《せんげん》しようとした。

だがそのとき、真実《しんじつ》が口《くち》を開《ひら》いた。

「いいえ。興味深《きょうみぶか》い現象《げんしょう》ですが、超能力《ちょうのうりょく》だと認《みと》めたわけではありません。まず、あの部屋《へや》を直接《ちょくせつ》見《み》せてください」

真実《しんじつ》はモニターに映《うつ》る部屋《へや》を指《ゆび》さした。

すると、チカラがほほえみながら首《くび》を横《よこ》に振《ふ》った。

「真実《しんじつ》くん、残念《ざんねん》ながらそれはできないんだ。あの部屋《へや》は、ここから離《はな》れた場所《ばしょ》にあるからね」

「そうですか……。それなら、いくつか聞《き》きたいことがあります」

「なんだい、真実《しんじつ》くん。キミもフレンドになりたいのかな？」

「いや、そうじゃありません。聞《き》きたいのはチカラさん、あなたにじゃない。彼《かれ》らにです」

真実《しんじつ》は、モニターの向《む》こうにいるフレンドたちを見《み》た。

「わたしたちに聞《き》きたいこと？」

「まだ疑《うたが》ってんのか!?　おれたちの超能力《ちょうのうりょく》は本物《ほんもの》だぞ！」

背《せ》の高《たか》い男《おとこ》の子《こ》が前《まえ》に進《すす》み出《で》て、モニター越《ご》しに真実《しんじつ》をにらんだ。

「では、聞《き》きます。あなたたちは、チカラさんにどんな指示《しじ》を受《う》けたんですか？」

「意識《いしき》を集中《しゅうちゅう》すれば、宙《ちゅう》に浮《う》くことができるって言《い》われたんだ。実際《じっさい》、おれたちは宙《ちゅう》に浮《う》いた。チカラくんの言《い》うとおりになっただろ」

するると、うしろにいたショートカットの女《おんな》の子《こ》が口《くち》をはさんだ。

「そうよ、指示《しじ》なんて受《う》けてないわ。わたしたちはまだ未熟《みじゅく》だから、安全《あんぜん》のために壁《かべ》に背中《せなか》をつけておくといいよってアドバイスされただけだから」

ふたりの言葉《ことば》に、ほかのフレンドたちも大《おお》きくうなずいた。

「なるほど……」

しかし、真実《しんじつ》はさらに質問《しつもん》を続《つづ》けた。

「実際《じっさい》に宙《ちゅう》に浮《う》いてみて、どんな感覚《かんかく》でしたか？　具体的《ぐたいてき》に教《おし》えてください」

「どんな感覚《かんかく》って、そりゃあ、天《てん》にも昇《のぼ》るような心地《ここち》だったよ」

「ええ。それになんだか、うしろに引《ひ》っ張《ば》られるような感《かん》じもしたわね。あれが宙《ちゅう》に浮《う》くって感覚《かんかく》なんでしょうね」

「うしろに引《ひ》っ張《ば》られる……」

真実《しんじつ》がつぶやくように繰《く》り返《かえ》すと、フレンドのふたりはけげんそうな表情《ひょうじょう》を浮《う》かべた。

「何《なに》を疑《うたが》っているかわからないけど、もういいだろ！」

「そうよ！　わたしたち超能力《ちょうのうりょく》を初《はじ》めて使《つか》って疲《つか》れてるのよ。まだ頭《あたま》がクラクラしてるんだから！」

「頭《あたま》が？」

真実《しんじつ》は笑《え》みを浮《う》かべた。


「やっぱりそういうことか――」


「真実《しんじつ》くん、何《なに》かわかったんですか？」

司会者《しかいしゃ》が尋《たず》ねると、真実《しんじつ》は大《おお》きくうなずいた。

「彼《かれ》らは確《たし》かに宙《ちゅう》に浮《う》かびました。だけど、それは超能力《ちょうのうりょく》によってではありません」

「どういうことですか？」

「彼《かれ》らは、今《いま》いるその部屋《へや》にいたからこそ、宙《ちゅう》に浮《う》くことができたんです！」

「えええ？」

それを聞《き》き、スタジオの観客《かんきゃく》たちが大《おお》きな声《こえ》をあげた。

「おおっと！　みなさん、たいへんなことになってまいりました！　真実《しんじつ》くんが、チカラさんたちの超能力《ちょうのうりょく》のナゾを見破《みやぶ》ったようです！」

スタジオのざわつきが収《おさ》まらないなか、司会者《しかいしゃ》は興奮気味《こうふんぎみ》にカメラに向《む》かってそう言《い》うと、真実《しんじつ》のほうを見《み》た。

「それで真実《しんじつ》くん、何《なに》がどうわかったのか説明《せつめい》していただけますか？」

すると、観覧席《かんらんせき》のいちばんうしろにいたプロデューサーの軽井《かるい》が、あわてて最前列《さいぜんれつ》まで駆《か》け込《こ》んできて、「真実《しんじつ》さん、カメラ目線《めせん》で！」と画用紙《がようし》に書《か》き、真実《しんじつ》に見《み》せる。

真実《しんじつ》は、溜《た》め息《いき》をつきながらもカメラを見《み》ると、口《くち》を開《ひら》いた。

「最初《さいしょ》、ぼくはひとつ疑問《ぎもん》を感《かん》じていたのです。それは、なぜフレンドのみなさんが、ぼくの前《まえ》にいないのかということです」

「それは、別室《べっしつ》で集中力《しゅうちゅうりょく》を高《たか》めていたからじゃないんでしょうか？」

「ええ、確《たし》かにチカラさんはそう言《い》っていました。だけど、今《いま》までの彼《かれ》なら、ぼくの目《め》の前《まえ》で超能力《ちょうのうりょく》を披露《ひろう》していたと思《おも》うんです」

「確《たし》かにそうだよね……」

真実《しんじつ》の言葉《ことば》に、観覧席《かんらんせき》の健太《けんた》はうなずく。

「だけどチカラさんは、ぼくにはモニター越《ご》しにしか超能力《ちょうのうりょく》を見《み》せなかった。それはいったいどうしてなのでしょう」

「それは、フレンドのみんなが緊張《きんちょう》するからさ」

「みんなが緊張《きんちょう》するからぼくを別室《べっしつ》に呼《よ》ばなかった、というのは、あまり説得力《せっとくりょく》のある説明《せつめい》じゃないと思《おも》いますよ」

「へえ、どうしてだい？」

「あの部屋《へや》の形《かたち》を見《み》てわかったんです。さっきの超能力《ちょうのうりょく》は、あの部屋《へや》だからこそ使《つか》うことができた。つまり、あの部屋《へや》にふたつのしかけがあったんです」

「しかけ!?　ボクのフレンドたちが努力《どりょく》して身《み》につけた力《ちから》を、キミは否定《ひてい》するのかい!?」

チカラは思《おも》わず大《おお》きな声《こえ》を出《だ》した。

「どういうことだよ？」

モニターの向《む》こうのフレンドたちも、予想外《よそうがい》の言葉《ことば》に戸惑《とまど》っているようだ。

真実《しんじつ》はチカラに１歩《ぽ》迫《せま》った。

「ひとつは、床《ゆか》が下《さ》がるしかけです。床《ゆか》が下《さ》がったから、フレンドの人《ひと》たちは浮《う》いているように見《み》えたんですね？」

「床《ゆか》が？」

司会者《しかいしゃ》が聞《き》き返《かえ》す。

「ええ、あの部屋《へや》の壁《かべ》には小《ちい》さなシミがありました。そのシミが、フレンドたちが浮《う》かびあ

がるとき、一緒《いっしょ》に上《うえ》へあがっていたんです」
「シミが！　だから床《ゆか》が下《さ》がっていたというわけですか」
だが、すぐにチカラが反論《はんろん》した。
「なるほどね。でも、もし床《ゆか》が下《さ》がったとして、フレンドたちが宙《ちゅう》に浮《う》いていたままだったのは、どういうわけだい？」

床《ゆか》が下《さ》がれば、フレンドたちはそのまま落《お》ちてしまうだろう。

そのとき、健太《けんた》が立《た》ち上《あ》がって、大《おお》きな声《こえ》を出《だ》した。

「わかった！　磁石《じしゃく》だ！　フレンドのみんなは磁石《じしゃく》で壁《かべ》にくっついていたんだ！」

「宮下《みやした》、どういうことだ？」

ハマセンが尋《たず》ねる。

「ほらっ、よく遊《あそ》びで下敷《したじ》きを2個《こ》の磁石《じしゃく》ではさんで、表《おもて》の磁石《じしゃく》を裏《うら》から動《うご》かしたりするでしょ？　フレンドのみんなは壁《かべ》に背中《せなか》をくっつけてたよね。背中《せなか》に強力《きょうりょく》な磁石《じしゃく》をつけていて、壁《かべ》の向《む》こうにある磁石《じしゃく》とくっついていたんじゃないかな」

「なるほど、壁《かべ》の外《そと》の磁石《じしゃく》を動《うご》かすことによって、彼《かれ》らが浮《う》かんだように見《み》えたってことだな」

ハマセンは納得《なっとく》して大《おお》きくうなずく。

しかし、背《せ》の高《たか》いフレンドが声《こえ》をあげた。

「磁石《じしゃく》なんてつけてないぞ！」

背《せ》の高《たか》い男《おとこ》の子《こ》は黒《くろ》いＴ《ティー》シャツをめくって、何《なに》もないことをアピールした。

「そんな……」

推理《すいり》があっさり否定《ひてい》され、健太《けんた》は絶句《ぜっく》する。

すると、真実《しんじつ》が口《くち》を開《ひら》いた。

「健太《けんた》くん、残念《ざんねん》ながら磁石《じしゃく》じゃないよ。彼《かれ》らが浮《う》かんだのは、ほかの方法《ほうほう》だ」

真実《しんじつ》はチカラをじっと見《み》つめた。

「ふたつめのしかけによって、フレンドたちは浮《う》いたままでいられたんだ。この世《よ》に科学《かがく》で解《と》けないナゾはない！」

真実《しんじつ》は、力強《ちからづよ》くそう言《い》った。

部屋《へや》の形《かたち》と
フレンドたちの証言《しょうげん》が、
しかけのポイントだよ。

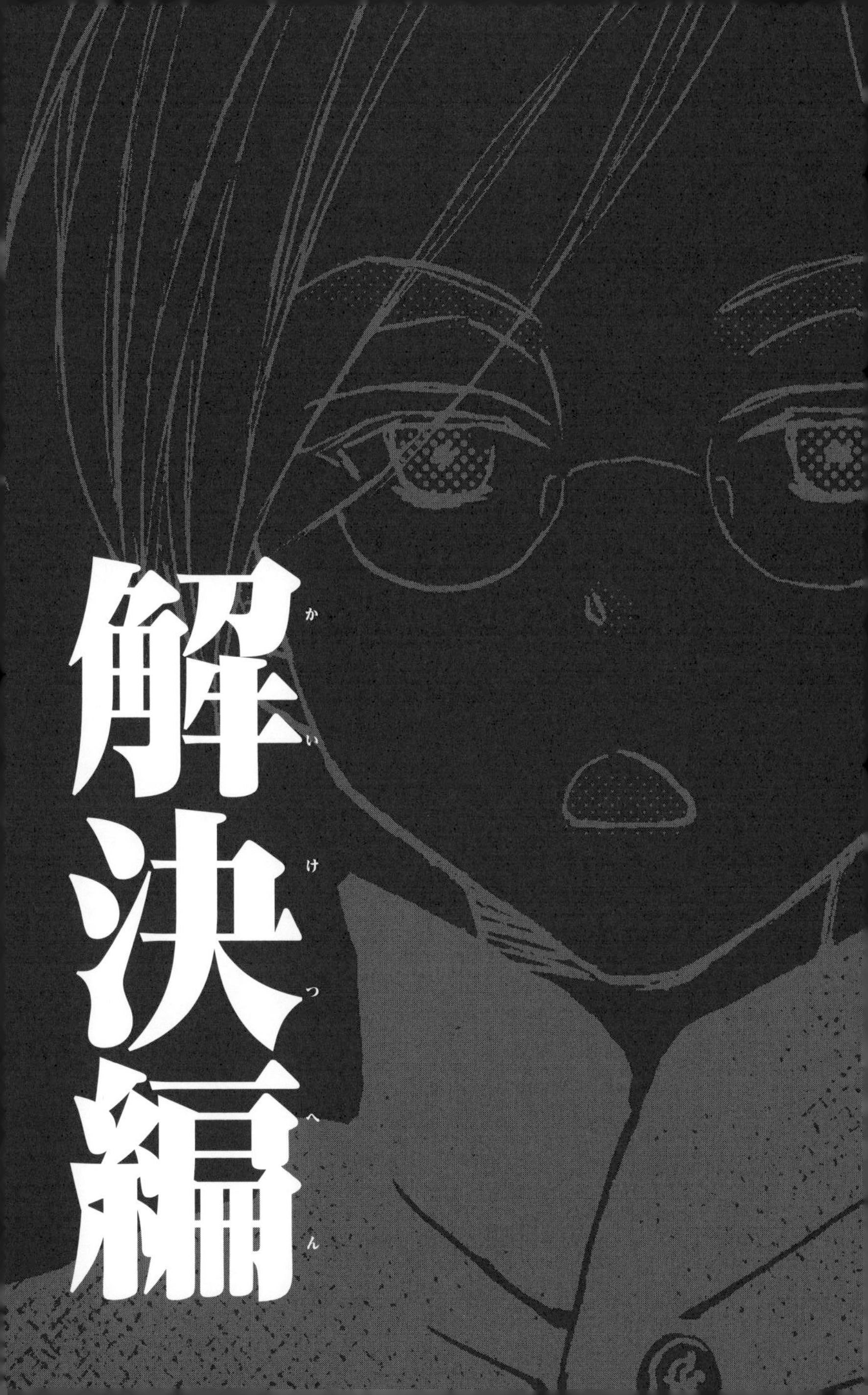

解《かい》決《けつ》編《へん》

「真実《しんじつ》くん、フレンドのみなさんはどうやって浮《う》かんでいたというのですか?」

司会者《しかいしゃ》は不思議《ふしぎ》そうに尋《たず》ねた。

すると、真実《しんじつ》はチカラを見《み》つめた。

「チカラさん、あなたは『遠心力《えんしんりょく》』を利用《りよう》したんですね?」

真実《しんじつ》はそう言《い》うと、モニターに映《うつ》る別室《べっしつ》を見《み》つめた。

「あの部屋《へや》は円形《えんけい》になっている。フレンドの人《ひと》たちは、円形《えんけい》の壁《かべ》に背中《せなか》をつけるように指示《しじ》されていた」

真実《しんじつ》は、背《せ》の高《たか》い男《おとこ》の子《こ》とショートカットの女《おんな》の子《こ》のほうを見《み》た。

「あなたたちは、うしろに引《ひ》っ張《ぱ》られるような感《かん》じがして、頭《あたま》がクラクラしたと言《い》ってましたよね?」

「え、ええ、それがなんだっていうのよ?」

「ああ! 本当《ほんとう》のことを言《い》っただけだぞ!」

「それでわかったんです。宙《ちゅう》に浮《う》いたあと、なぜあなたたちがフラついていたのか。あれは初《はじ》めて超能力《ちょうのうりょく》を使《つか》った疲《つか》れのせいじゃない。あなたたちは、あの部屋《へや》ごと回転《かいてん》していたから頭《あたま》がフラついてしまったんです」

「回転《かいてん》していた？」

フレンドと観客《かんきゃく》たちが同時《どうじ》に声《こえ》をあげた。

「真実《しんじつ》くん、どういうことなの？」

健太《けんた》はたまらず観覧席《かんらんせき》から真実《しんじつ》に尋《たず》ねた。

「健太《けんた》くん、あの部屋《へや》はね、部屋全体《へやぜんたい》が回転《かいてん》するようになっていたんだ」

「えええ？」

真実《しんじつ》は、観覧席《かんらんせき》に向《む》かって語《かた》りかけた。

「みなさんは、バケツに水《みず》を入《い》れて、グルグル回《まわ》したことはありますか？　あのとき、バケツが逆《さか》さまになっても、水《みず》は落《お》ちてきませんよね。回《まわ》っている物体《ぶったい》には、外側《そとがわ》に向《む》かって引《ひ》っ張《ば》られる力《ちから》が生《う》まれるからです。これ

水《みず》が入《はい》ったバケツを円《えん》を描《えが》くように回転《かいてん》させると、外側《そとがわ》に向《む》かって遠心力《えんしんりょく》がはたらく。水《みず》はバケツの底《そこ》のほうに向《む》かって引《ひ》っ張《ぱ》られるので、こぼれない。

を『遠心力《えんしんりょく》』といいます」

　観客《かんきゃく》たちは、真実《しんじつ》の言葉《ことば》に聴《き》き入《い》っている。

「フレンドたちは、チカラさんの指示《しじ》で壁《かべ》に背中《せなか》をつけていました。部屋《へや》が回転《かいてん》すると、遠心力《えんしんりょく》で外側《そとがわ》に引《ひ》っ張《ぱ》られ、壁《かべ》に張《は》りついたようになります。だから、床《ゆか》が下《さ》がってもフレンドたちは宙《ちゅう》に浮《う》いていられたんです」

「ってことは、フレンドの人《ひと》たちは、宙《ちゅう》に浮《う》いているというより、遠心力《えんしんりょく》で壁《かべ》にくっついていただけってこと?」

　健太《けんた》がそう言《い》うと、真実《しんじつ》は「そのとおり」と答《こた》えた。

空中浮遊《くうちゅうふゆう》のトリック

《部屋《へや》はこうなっている!》

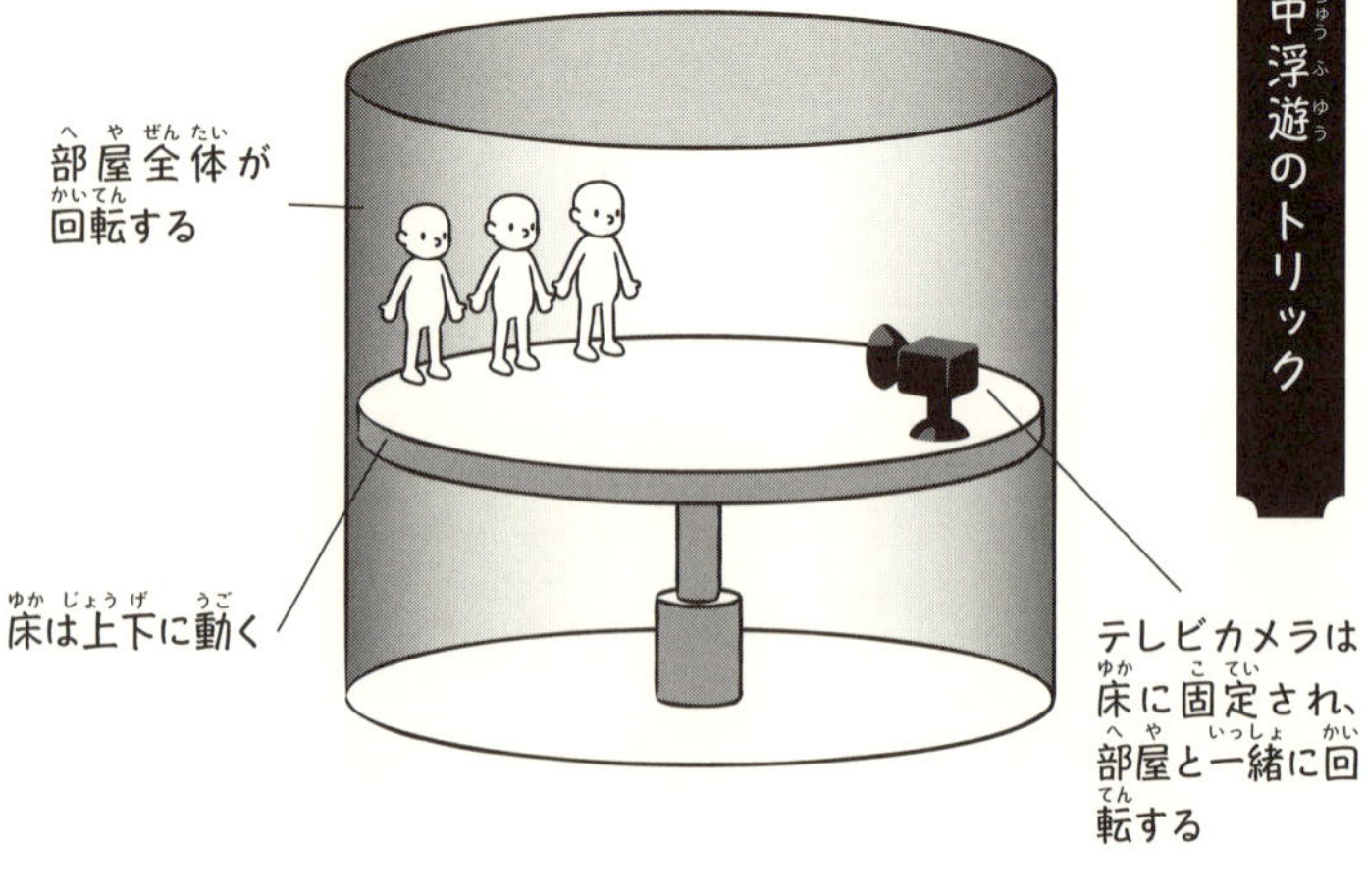
部屋《へや》全体《ぜんたい》が回転《かいてん》する
床《ゆか》は上下《じょうげ》に動《うご》く
テレビカメラは床《ゆか》に固定《こてい》され、部屋《へや》と一緒《いっしょ》に回転《かいてん》する

「でも、モニターでは部屋《へや》が回転《かいてん》しているように見《み》えなかったよ」

「部屋《へや》が回《まわ》っているとき、カメラもフレンドたちと同《おな》じように回転《かいてん》していました。だから、モニター越《ご》しには部《へ》屋《や》が止《と》まっているように見《み》えたんです」

「そんな……」

「チカラくん、それって本当《ほんとう》なの？」

フレンドたちが口々《くちぐち》にチカラに尋《たず》ねる。自分《じぶん》の力《ちから》で浮《う》いたのではなく、トリックだったと知《し》り、ショックを受《う》けているようだ。

チカラはそんな彼《かれ》らに迫《せま》られ、一《いっ》

《部屋《へや》が回転《かいてん》すると……》

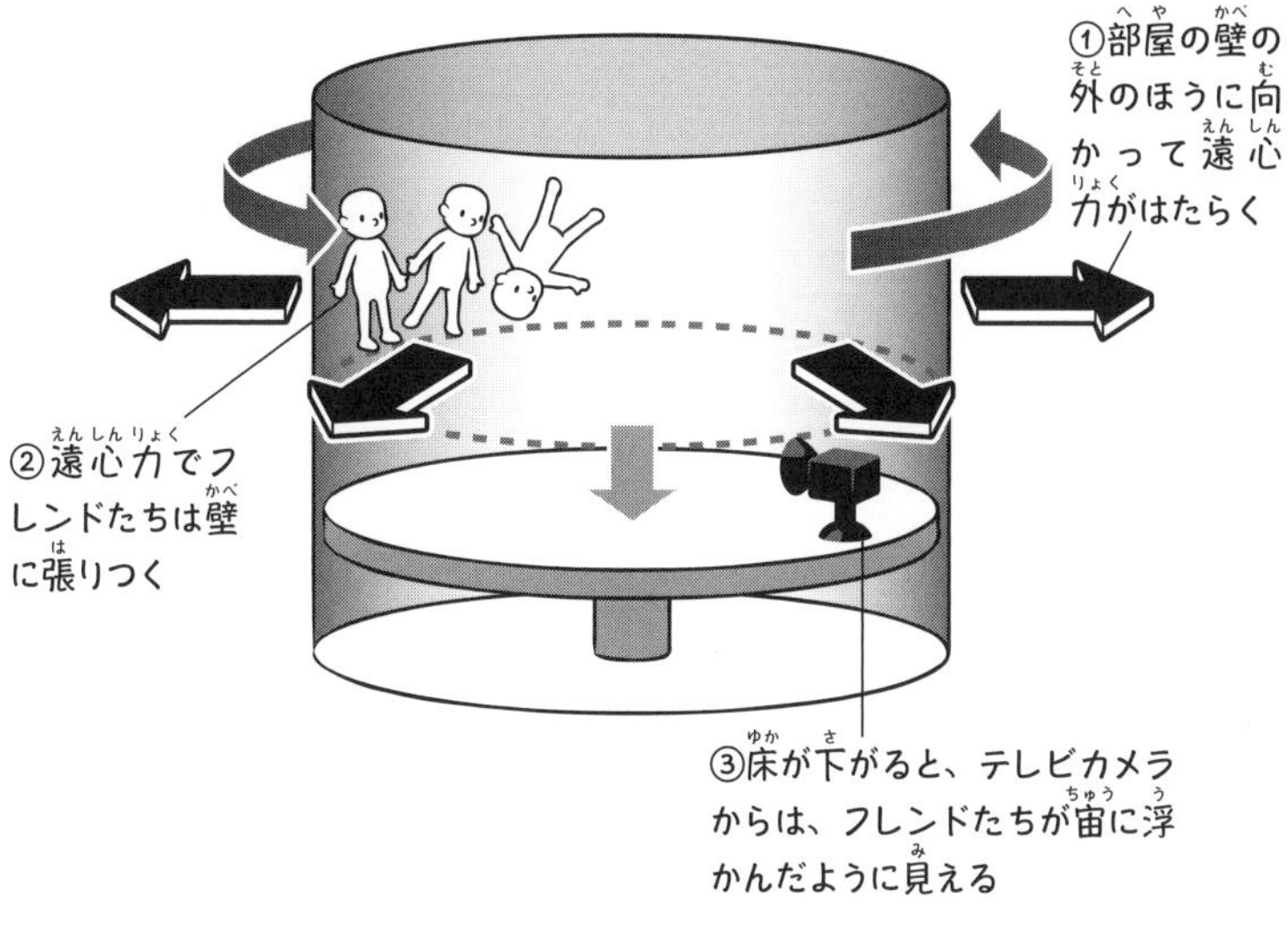
①部屋《へや》の壁《かべ》の外《そと》のほうに向《む》かって遠心《えんしん》力《りょく》がはたらく
②遠心力《えんしんりょく》でフレンドたちは壁《かべ》に張《は》りつく
③床《ゆか》が下《さ》がると、テレビカメラからは、フレンドたちが宙《ちゅう》に浮《う》かんだように見《み》える

瞬《しゅん》焦《あせ》ったような表情《ひょうじょう》になったが、すぐに笑《え》みを浮《う》かべた。

「まあ、みんな落《お》ち着《つ》いて。実《じつ》はすべて、キミたちのことを思《おも》ってやったことなんだ」

「わたしたちを思《おも》って？」

「確《たし》かにあの部屋《へや》にはしかけがあった。だけどそれはキミたちフレンドの超能力《ちょうのうりょく》がまだ十分《じゅうぶん》に開発《かいはつ》されてなかったせいなんだ」

「どういうこと？」

「ほんとは番組《ばんぐみ》の本番《ほんばん》までに、キミたちを超能力者《ちょうのうりょくしゃ》にしたかった。だけど、予定《よてい》よりもう少《すこ》しだけ時間《じかん》がかかりそうなことがわかったんだ。それで、しかたなくしかけをつくることにした。ボクは、キミたちに恥《は》ずかしい思《おも》いをさせたくなかったんだよ」

チカラはそう言《い》って、「言《い》ってなくてごめんね」と頭《あたま》を下《さ》げた。

「そ……そうなの？」

フレンドたちは、チカラの言葉《ことば》に戸惑《とまど》いながらも、なんとか自分《じぶん》を納得《なっとく》させようとする。

チカラは真実《しんじつ》のほうを見《み》た。

「今回《こんかい》は申《もう》し訳《わけ》なかったね。だけど、だからといって、ボク自身《じしん》に超能力《ちょうのうりょく》がないということにはならないよ。なぜなら、真実《しんじつ》くん、ボクの千里眼《せんりがん》の力《ちから》は本物《ほんもの》だっただろう？」

「そのことなんですけど、ぼくはひとつ、仮説《かせつ》を思《おも》いついたんです」

「仮説《かせつ》？」

真実《しんじつ》は観覧席《かんらんせき》にいるハマセンのほうを見《み》た。

「浜田先生《はまだせんせい》、あなたが引《ひ》っ越《こ》してから、何《なに》か変《か》わったものが宅配便《たくはいびん》で届《とど》きませんでしたか？」

「えっ？　ウチにか？　う～ん、実家《じっか》から米《こめ》は送《おく》られてきたけど。……ああ、そういえば、モニター調査《ちょうさ》の依頼《いらい》が来《き》たぞ！　中《なか》にロボット掃除機《そうじき》が入《はい》ってたんだ。これはラッキーだと思《おも》ってすぐに使《つか》うことにしたんだけど」

ハマセンがそこまで言《い》うと、真実《しんじつ》は「やっぱりね」とつぶやき、チカラのほうを見《み》た。

「それを送《おく》ったのは、チカラさん、あなたですね？」

「えっ……？」

真実《しんじつ》の言《い》っている意味《いみ》がわからず、みな戸惑《とまど》う。

だが、チカラだけは険《けわ》しい顔《かお》をしていた。

「チカラさん、あなたは最初《さいしょ》から千里眼《せんりがん》のターゲットに浜田先生《はまだせんせい》を選《えら》んでいた。そして、浜田先生《はまだせんせい》がぼくをテレビ局《きょく》に引率《いんそつ》するようにしむけたんですね」

健太《けんた》がたまらず、声《こえ》をかける。

「真実《しんじつ》くん、ターゲットってどういうこと？」

「ぼくは1度目《どめ》のテレビ出演《しゅつえん》のあと、チカラさんについていろいろ調《しら》べたんだ。そうしたら、チカラさんがテレビ出演《しゅつえん》の前《まえ》に、ロボット掃除機《そうじき》を購入《こうにゅう》していたことがわかった」

「ロボット掃除機《そうじき》？　自動《じどう》で動《うご》いて床《ゆか》を掃除《そうじ》する機械《きかい》なんかを、どうしてチカラさんが買《か》って、浜田先生《はまだせんせい》に送《おく》ったの？」

「ロボット掃除機《そうじき》にはＡＩ《エーアイ》が組《く》み込《こ》まれていて、掃除《そうじ》する部屋《へや》の間取《まど》りを把握《はあく》できる。チカラさんはモニターが終《お》わり、送《おく》り返《かえ》されてきたロボット掃除機《そうじき》から、そのデータを抜《ぬ》き取《と》り、浜田先生《はまだせんせい》の家《いえ》の間取《まど》りを把握《はあく》した。だから、部屋《へや》のようすではなく、あくまで間取《まど》りだけを言《い》い当《あ》てたんだ。――それが、ぼくの立《た》てた千里眼《せんりがん》トリックの仮説《かせつ》だ」

真実《しんじつ》は、ぐっとチカラに詰《つ》め寄《よ》った。

「そんな……」

驚《おどろ》く健太《けんた》やハマセンをよそに、チカラは首《くび》を横《よこ》に振《ふ》った。

「真実《しんじつ》くん、話《はなし》はよくできてるけど、ロボット掃除機《そうじき》は自分《じぶん》で使《つか》うために買《か》ったものだよ。残念《ざんねん》ながら、キミの言《い》っていることには証拠《しょうこ》がないよねえ」

すべては仮説《かせつ》だった。チカラは不敵《ふてき》な笑《え》みを浮《う》かべた。

だがそのとき――、

ＡＩ《エーアイ》（人工知能《じんこうちのう》）
コンピューターに、人間《にんげん》のように考《かんが》えたり判断《はんだん》したりさせる技術《ぎじゅつ》。英語《えいご》で「人工知能《じんこうちのう》」を意味《いみ》する「Artificial《アーティフィシャル》 Intelligence《インテリジェンス》」の略《りゃく》。

「証拠《しょうこ》ならあるわよ――!!」

USB《ユーエスビー》メモリー
パソコンのUSB《ユーエスビー》端子《たんし》に接続《せつぞく》して使《つか》う、データの記録装置《きろくそうち》。

突然《とつぜん》、大《おお》きな声《こえ》が響《ひび》いた。

見《み》ると、スタジオの入《い》り口《ぐち》に、美希《みき》が立《た》っていた。


「美希《みき》ちゃん！」


健太《けんた》は驚《おどろ》きの声《こえ》をあげる。美希《みき》は黒《くろ》いT《ティー》シャツ姿《すがた》ではなく、いつもと同《おな》じような服《ふく》を着《き》ていた。

「どうしてここに？」

「そんなの決《き》まってるでしょ。これを見《み》せるためよ！　わたしがフレンドになったのは、すべてこのためだったんだから！」

美希《みき》は、持《も》っていたUSB《ユーエスビー》メモリーを突《つ》き出《だ》した。

「まさか！」

その瞬間《しゅんかん》、チカラの表情《ひょうじょう》が一変《いっぺん》した。明《あき》らかに焦《あせ》っている。

「チカラさんにはこれが何《なに》かわかったようね。そう、これはロボット掃除機《そうじき》の中《なか》のデータよ！」

美希《みき》はわざとフレンドになってチカラに近《ちか》づき、間取《まど》りのデータが入《はい》ったメモリーを手《て》に入《い》れていたのだ。

「すごいよ、美希《みき》ちゃん！」

健太《けんた》が歓声《かんせい》をあげると、美希《みき》は笑顔《えがお》でピースした。

一方《いっぽう》、スタジオは静《しず》まり返《かえ》っている。

モニターの向《む》こうの、フレンドたちもぼう然《ぜん》としていた。

「そんな、全部《ぜんぶ》うそだったってことなの……？」

「チカラくん、そんなことないよね？」

フレンドたちがモニター越《ご》しにチカラに問《と》いかける。

しかし、チカラは何《なに》も答《こた》えない。

「チカラくん、何《なに》か言《い》ってよ？」

「いつものように、ぼくたちを信《しん》じさせてよ」

「信《しん》じさせる……？」

チカラはそうつぶやくと、急《きゅう》に笑《わら》い出《だ》した。


「ハーハッハハ　ハーハッハハ」


チカラの声《こえ》だけがスタジオに響《ひび》く。

チカラは、小《こ》ばかにしたような表情《ひょうじょう》でフレンドたちを見《み》た。

「まったく、キミたちはほんと、おめでたいねえ～」

「おめでたい？」

「キミたちはいつもそうだ。見《み》たいものだけを見《み》ようとする。世《よ》の中《なか》には都合《つごう》のいいことばかりあるわけじゃない。それなのに、都合《つごう》の悪《わる》いことには目《め》をつぶって、気《き》づかないフリをするんだ。だから、ボクみたいなのに簡単《かんたん》にだまされてしまうんだよ！」

その言葉《ことば》に、フレンドたちはがく然《ぜん》とする。

「チカラくんは、わたしたちをだましてたの？」

「そんな……。チカラくんのこと、信《しん》じていたのに」

「ぼくたち、これからどうすればいいんだよ……」

フレンドたちはみな、目《め》に涙《なみだ》を浮《う》かべていた。

一方《いっぽう》、プロデューサーの軽井《かるい》は、あわてて司会者《しかいしゃ》に番組《ばんぐみ》を進行《しんこう》するように指示《しじ》を出《だ》した。

「あっ、えっと、これはすごい展開《てんかい》になりましたねえ」

司会者《しかいしゃ》は予想外《よそうがい》の展開《てんかい》に冷《ひ》や汗《あせ》をかきながら、なんとか番組《ばんぐみ》を進行《しんこう》しようとする。

だが、そんな司会者《しかいしゃ》を無視《むし》して、チカラは口《くち》を開《ひら》いた。

「そうさ。ボクに超能力《ちょうのうりょく》なんてない。ボクは何《なに》も悪《わる》くない。だまされた人間《にんげん》のほうが悪《わる》いんだ！　いい勉強《べんきょう》になっただろう？」

そう言《い》って、去《さ》っていこうとした。

だがそのとき、健太《けんた》が叫《さけ》んだ。

「ちょっと待《ま》ってよ、チカラさん！　フレンドのみんなは、チカラさんのことが大好《だいす》きで集《あつ》まったのに、うそをついてだますなんてひどいよ！」

チカラはそれを聞《き》き、立《た》ち止《ど》まると、顔《かお》だけをわずかに健太《けんた》のほうに向《む》けた。

「いい夢《ゆめ》を見《み》られたんだから、それでいいだろ？」


「いい夢《ゆめ》だって？」


健太《けんた》の顔色《かおいろ》が変《か》わった。

「こんなの、いい夢《ゆめ》なんかじゃない！　いい夢《ゆめ》っていうのは、たとえ目《め》が覚《さ》めても、ずっと幸《しあわ》せな気分《きぶん》でいられる夢《ゆめ》のことをいうんだ。でも、フレンドのみんなは、今《いま》、ちっとも幸《しあわ》せそうに見《み》えないじゃないか！」

健太《けんた》は目《め》に涙《なみだ》をためて、必死《ひっし》でチカラにうったえる。

「チカラさんなら、うそなんかつかなくても、みんなにいい夢《ゆめ》を見《み》せられるはずだよ！

だって、チカラさんは、あんなにみんなを楽《たの》しませることができたじゃないか！」


「覚《さ》めても幸《しあわ》せでいられる夢《ゆめ》を見《み》せる……」


健太《けんた》の言葉《ことば》に、チカラの表情《ひょうじょう》が一瞬《いっしゅん》変《か》わった。

しかし、すぐに不敵《ふてき》な笑《え》みを浮《う》かべた。

「……キミたちのようなおめでたい人《ひと》をだますのには、ちょうどあきてきたところだよ。

じゃあね」

一同《いちどう》がぼう然《ぜん》とするなか、チカラはひとりスタジオから去《さ》っていく。

真実《しんじつ》は、そんなチカラのうしろ姿《すがた》を、ただじっと見《み》つめていた。

4

SCIENCE TRICK DATA FILE

科学《かがく》トリック データファイル

Q.遠心力《えんしんりょく》の強《つよ》さは何《なに》によって変《か》わるの?

不思議《ふしぎ》な力《ちから》「遠心力《えんしんりょく》」

「遠心力《えんしんりょく》」とは、物体《ぶったい》が円《えん》を描《えが》くように回《まわ》っているときに、回転《かいてん》の中心《ちゅうしん》から遠《とお》ざかる向《む》きにはたらく力《ちから》です。

たとえば、自動車《じどうしゃ》に乗《の》っていてカーブを曲《ま》がるとき、体《からだ》がカーブの外側《そとがわ》に引《ひ》っ張《ぱ》られている感《かん》じがしますね。

これも遠心力《えんしんりょく》です。

洗濯機《せんたくき》が脱水《だっすい》できるのも遠心力《えんしんりょく》のおかげ!

洗濯槽《せんたくそう》が高速《こうそく》で回転《かいてん》すると、衣類《いるい》についた水《みず》は、遠心力《えんしんりょく》で洗濯槽《せんたくそう》の外側《そとがわ》に吹《ふ》き飛《と》ばされるんだ。

ジェットコースターで落《お》ちないのも遠心力《えんしんりょく》！

円《えん》を描《えが》くように動《うご》いているジェットコースターには、回転《かいてん》の中心《ちゅうしん》から外《そと》側《がわ》に向《む》かって遠心力《えんしんりょく》がはたらく。このとき、下向《したむ》きの重力《じゅうりょく》よりも、上《うわ》向《む》きの遠心力《えんしんりょく》のほうが大《おお》きいから、逆《さか》さまになっても落《お》ちないんだ。

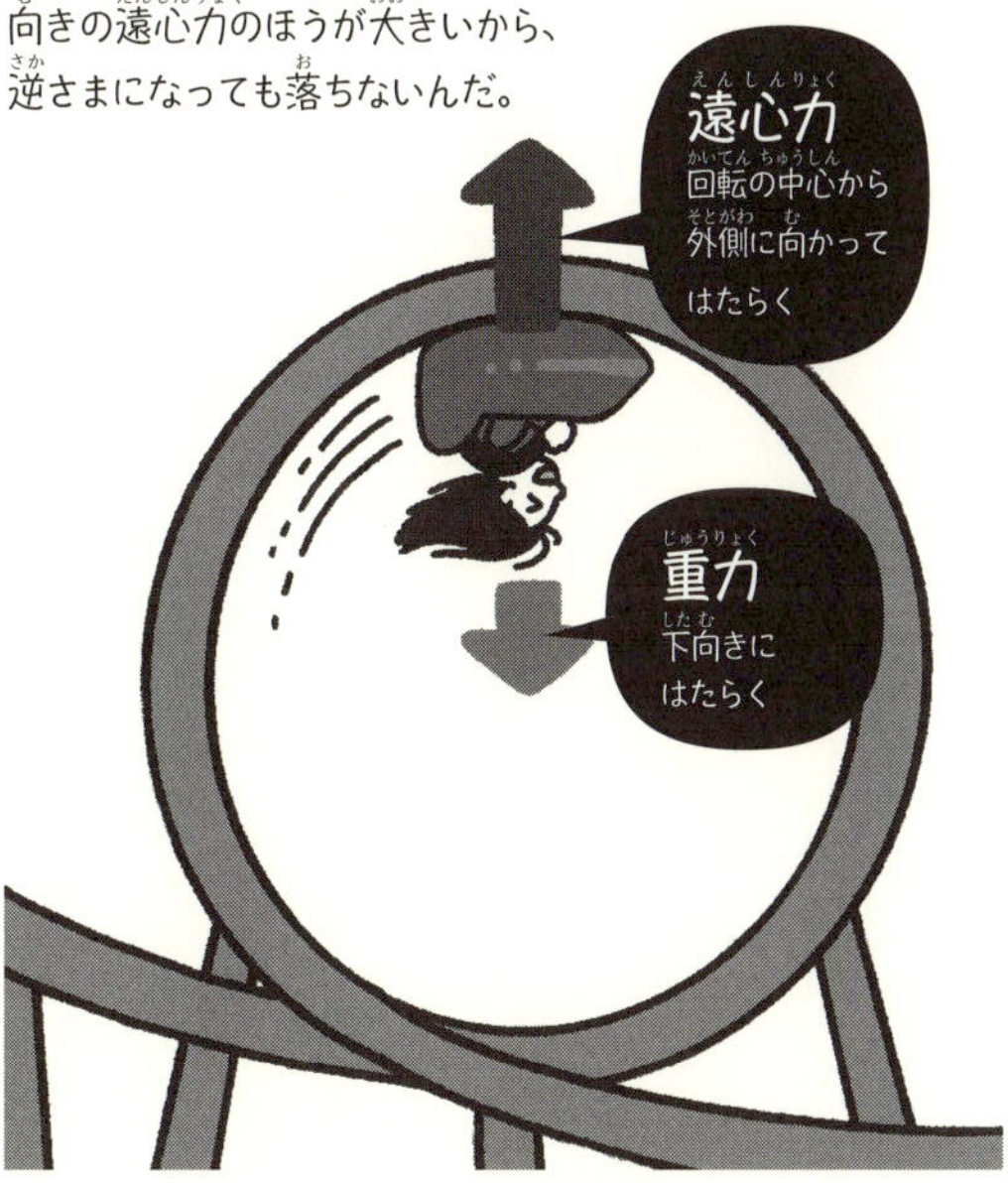
遠心力《えんしんりょく》
回転《かいてん》の中心《ちゅうしん》から外側《そとがわ》に向《む》かってはたらく
重力《じゅうりょく》
下向《したむ》きにはたらく

A.回転《かいてん》が速《はや》ければ速《はや》いほど、遠心力《えんしんりょく》は強《つよ》くなるよ

「あれから、もうずいぶん経《た》つんだね……」

給食《きゅうしょく》の時間《じかん》。健太《けんた》はシチューを食《た》べるために使《つか》っていたスプーンを見《み》ながら、目《め》の前《まえ》の真《しん》実《じつ》にふと、そう言《い》った。

真実《しんじつ》にトリックを暴《あば》かれたチカラは、あれからテレビに出《で》なくなった。動画《どうが》をアップするのもやめ、ファンミーティングもおこなわなくなり、オンラインサロンも閉鎖《へいさ》。フレンドたちから集《あつ》めたお金《かね》も全部返《ぜんぶかえ》したらしい。

「チカラさん、行方不明《ゆくえふめい》っていううわさだよ」

それが本当《ほんとう》のことなのかはわからないが、ネットではさまざまなうわさが飛《と》び交《か》っていた。

「なんだか心配《しんぱい》だよね。ぼく、チカラさんが根《ね》っからの悪者《わるもの》じゃなかったような気《き》がするんだ……」

健太《けんた》の言葉《ことば》に、真実《しんじつ》は小《ちい》さくうなずいた。

「チカラさん、どこにいるのかなあ？」

健太《けんた》は小《ちい》さな溜《た》め息《いき》をもらした。

そのとき、美希《みき》が飛《と》び込《こ》むように教室《きょうしつ》に入《はい》ってきた。

「ビッグニュースよ！」


「美希《みき》ちゃん、給食中《きゅうしょくちゅう》だよ」

「健太《けんた》くん、食《た》べるのもだいじだけど、これはもっとだいじなことなの！」

美希《みき》は持《も》っていたタブレット型《がた》のパソコンをふたりに見《み》せた。

そこには、件名《けんめい》に「謎野真実《なぞのしんじつ》くんへ　蝶野力《ちょうのちから》」と書《か》かれたメールが表示《ひょうじ》されている。

そして、本文《ほんぶん》には、URL《ユーアールエル》だけが記《しる》されていた。

「これって、ネットのアドレス……だよね？」

「美希《みき》さん、開《ひら》いてみてくれるかな？」

「ええ。じゃあ、いくわよ――」

クラスのみんなも、チカラからのメールだと知《し》り、集《あつ》まってきた。

美希《みき》はみんなに画面《がめん》を見《み》せながら、URL《ユーアールエル》を開《ひら》いた。


「やあ、真実《しんじつ》くん、久《ひさ》しぶりだね！」

画面《がめん》に、チカラが現《あらわ》れた。

録画《ろくが》された動画《どうが》のようだ。

チカラは、金色《きんいろ》の派手《はで》な服《ふく》を着《き》て、カメラのほうを見《み》ていた。

「キミたちとの出会《であ》いは、ある意味《いみ》いい刺激《しげき》になったよ。おかげで、ボクは新《あたら》しいステージに立《た》つことができたからね」

「新《あたら》しいステージ？」

健太《けんた》が首《くび》をひねった。

真実《しんじつ》は画面《がめん》をじっと見《み》つめる。

チカラのうしろに、幕《まく》のようなものが張《は》られていた。

次《つぎ》の瞬間《しゅんかん》、チカラはパチンと指《ゆび》を鳴《な》らした。

すると、うしろの幕《まく》が開《あ》く。

そこは、大勢《おおぜい》の観客《かんきゃく》のいるステージの上《うえ》だった。

CHIKARA

「レディースアンドジェントルメン！　奇跡《きせき》のマジシャン・チカラのラスベガス・ミラクルショーのスタートです！」

会場《かいじょう》に英語《えいご》でアナウンスが流《なが》れる。

ご丁寧《ていねい》に、チカラはわざわざ動画《どうが》に日本語《にほんご》の字幕《じまく》をつけてくれていた。

派手《はで》な音楽《おんがく》がかかり、色鮮《いろあざ》やかなライトがステージを照《て》らす。

チカラはそんなステージの上《うえ》で、次々《つぎつぎ》とマジックを披露《ひろう》した。

「これってもしかして……」

ぼう然《ぜん》とする健太《けんた》たちに、真実《しんじつ》は「ああ」と口《くち》を開《ひら》いた。

「どうやら、チカラさんは、マジシャンになったようだね」

チカラは、ラスベガスでマジックショーをおこなうようになっていたのだ。

「じゃあ、チカラさん、超能力者《ちょうのうりょくしゃ》だってうそをつくのはやめたんだね」

「きっと、健太《けんた》くんがあのとき、スタジオで言《い》った言葉《ことば》が彼《かれ》を変《か》えたのよ」

「ラスベガスといえばショーの本場《ほんば》だ。チカラさんには人《ひと》をひきつける魅《み》

ラスベガス
アメリカのネバダ州《しゅう》にある、砂漠《さばく》の中《なか》にぽっかり浮《う》かんだ、きらびやかな観光都市《かんこうとし》。テーマパークのようなホテルが立《た》ち並《なら》び、カジノやエンターテインメントのショーなどで有名《ゆうめい》。

力《りょく》がある。案外合《あんがいあ》っているかもしれないね」

観客《かんきゃく》たちはチカラのマジックに大《おお》きな拍手《はくしゅ》と歓声《かんせい》を送《おく》っていた。

やがて、ショーが終《お》わると、チカラはカメラの前《まえ》に立《た》った。

「真実《しんじつ》くん、人《ひと》は進歩《しんぽ》する生《い》き物《もの》だよ。誰《だれ》でも無限《むげん》のすばらしい力《ちから》を持《も》っているからね。ボクはキミのおかげで前《まえ》に進《すす》めた。だから、さあ勝負《しょうぶ》だ！　今《いま》のマジックがどんなしかけだったかわかるかい？　今回《こんかい》はさすがのキミでもそう簡単《かんたん》には見抜《みぬ》けないと思《おも》うよ！　ハーハッハハ、ハーハッハハ！」

動画《どうが》はそこで終《お》わった。

「チカラさん、また挑戦《ちょうせん》してきたよ!?」

「ほんと、こりない人《ひと》よねえ」

真実《しんじつ》はパソコンの画面《がめん》に映《うつ》るチカラを見《み》てほほえんだ。

「おもしろい、受《う》けて立《た》つよ。そこに科学《かがく》トリックがある限《かぎ》り、そのナゾを解《と》くのがぼくの使命《しめい》だからね！」

その言葉《ことば》に、健太《けんた》と美希《みき》は大《おお》きくうなずいた。

See you
in the next mystery!

その後《ご》の科学探偵《かがくたんてい》「動画《どうが》サイトデビュー!?」

著者紹介

佐東みどり

脚本家・作家。アニメ「サザエさん」「ハローキティとあそぼう！まなぼう！」などを担当。小説に「恐怖コレクター」シリーズ、「謎新聞ミライタイムズ」シリーズ、「怪狩り」シリーズなどがある。

（執筆：プロローグ、4章、エピローグ）

石川北二

監督・脚本家。脚本家として、映画「かずら」（共同脚本）、映画「燐寸少女 マッチショウジョ」などを担当。監督としての代表作に、映画「ラブ★コン」などがある。

（執筆：2章）

木滝りま

脚本家・作家。脚本家として、ドラマ「念力家族」「ほんとにあった怖い話」、アニメ「スイートプリキュア♪」など。代表作に、『世にも奇妙な物語 ドラマノベライズ 恐怖のはじまり編』がある。

（執筆：3章）

田中智章

監督・脚本家。脚本家として、アニメ「ドラえもん」、映画「シャニダールの花」などを担当。監督としての代表作に、映画「放課後ノート」「花になる」などがある。

（執筆：1章）

挿画

木々（KIKI）

マンガ家・イラストレーター。代表作に、「バリエガーデン」シリーズ、「ラヴ ミー テンダー」シリーズなどがある。
公式サイト：http://www.kikihouse.com/

ブックデザイン
アートディレクション

辻中浩一
＋
渡部文
久保沙織（ウフ）

監修　　　　金子丈夫（筑波大学附属中学校元副校長）
編集デスク　橋田真琴、福井洋平、大宮耕一
編集　　　　河西久実
校閲　　　　宅美公美子、志保井里奈、野口高峰（朝日新聞総合サービス）

本文図版　　楠美マユラ
コラム図版　佐藤まなか
本文写真　iStock、朝日新聞社
ブックデザイン/アートディレクション　辻中浩一＋渡部文、久保沙織（ウフ）

おもな参考文献
『新編 新しい理科』3～6（東京書籍）／『キッズペディア 科学館』日本科学未来館、筑波大学附属小学校理科部監修（小学館）／『週刊かがくる 改訂版』1～50号（朝日新聞出版）／『週刊かがくるプラス 改訂版』1～50号（朝日新聞出版）／「ののちゃんのDO科学」朝日新聞社（https://www.asahi.com/shimbun/nie/tamate/）

科学探偵《かがくたんてい》 謎野真実《なぞのしんじつ》シリーズ

科学探偵《かがくたんてい》 VS.《ブイエス》 超能力少年《ちょうのうりょくしょうねん》

2019年12月30日　第1刷発行
2023年 6 月20日　第8刷発行

著　者　　作：佐東みどり　石川北二　木滝りま　田中智章　　絵：木々
発行者　　片桐圭子
発行所　　朝日新聞出版
〒104-8011
東京都中央区築地5-3-2
編集　生活・文化編集部
電話　03-5541-8833（編集）
　　　03-5540-7793（販売）

印刷所・製本所　大日本印刷株式会社
ISBN978-4-02-331887-8
定価はカバーに表示してあります

落丁・乱丁の場合は弊社業務部（03-5540-7800）へ
ご連絡ください。送料弊社負担にてお取り替えいたします。